Paixão radical

Paixão radical
O chamado de uma adolescente para a entrega total a Cristo

SARA BARRATT

Traduzido por Cecília Eller

Copyright © 2020 por Sara Barratt
Publicado originalmente por Baker Publishing Group,
Grand Rapids, Michigan, EUA.

Os textos bíblicos foram extraídos da *Nova Versão
Transformadora* (NVT), da Tyndale House Foundation,
salvo as seguintes indicações: *Nova Almeida Atualizada*
(NAA), da Sociedade Bíblica do Brasil; e *Nova Versão
Internacional* (NVI), da Bíblica, Inc.

Todos os direitos reservados e protegidos pela Lei
9.610, de 19/02/1998.

É expressamente proibida a reprodução total ou
parcial deste livro, por quaisquer meios (eletrônicos,
mecânicos, fotográficos, gravação e outros), sem prévia
autorização, por escrito, da editora.

Edição
Daniel Faria

Revisão
Natália Custódio

Produção
Felipe Marques

Diagramação
Marina Timm

Colaboração
Ana Luiza Ferreira

Adaptação de capa
Ricardo Shoji

CIP-Brasil. Catalogação na publicação
Sindicato Nacional dos Editores de Livros, RJ

B252p

    Barratt, Sara
      Paixão radical : o chamado de uma adolescente para a
entrega total a Cristo / Sara Barratt ; tradução Cecília Eller. -
1. ed. - São Paulo : Mundo Cristão, 2022.
      232 p.

      Tradução de: Love riot
      ISBN 978-65-5988-072-0

      1. Adolescentes - Vida religiosa - Cristianismo. I. Eller,
Cecília. II. Título.

22-75971   CDD: 248.83
                           CDU: 27-584-053.6

Gabriela Faray Ferreira Lopes - Bibliotecária - CRB-7/6643

Publicado no Brasil com todos
os direitos reservados por:

Editora Mundo Cristão
Rua Antônio Carlos Tacconi, 69
São Paulo, SP, Brasil
CEP 04810-020
Telefone: (11) 2127-4147
www.mundocristao.com.br

Categoria: Inspiração
1ª edição: abril de 2022

A todos os que saíram em ousadia
proclamando o nome de Jesus.
A todos os que creram que, para quem vive
em Cristo, o morrer é lucro.
A todos os que muito amaram... e muito sacrificaram.
A todos os que levantaram a cruz sem olhar para trás.
Que não nos esqueçamos de sua paixão, nem abramos mão da
liberdade que foi conquistada por meio da perseguição.

E a minha mãe... a pessoa que me ensina mais sobre seguir a
Jesus do que qualquer outra. Você me inspira. Te amo!

Soli Deo Gloria

Sumário

Prefácio por Brett Harris   9

Introdução   13
Chegou a hora da revolução do amor

Parte 1: O chamado

1. O impostor revelado   21
Qual é o problema?

2. Não é uma festinha da *pizza*   32
Deus é muito maior, e a igreja também

3. Não quero um Jesus de Facebook   43
Além da superfície

Parte 2: A mudança

4. Prepare-se para uma reforma   57
Ele fará uma reviravolta em sua vida

5. Sem *wi-fi* grátis   70
Deixe de lado suas zonas de conforto

6. Tudo quer dizer *tudo*   84
Entregue-se por completo

Parte 3: O desafio

7. O grito de guerra   99
Você está no combate de sua vida

8. Buscando muito... ou quase nada?   111
Vamos passar tempo com Jesus

9. Mais profundo que um devocional de um minuto 123
Cave fundo a Palavra de Deus

Parte 4: O x da questão
10. Uma oportunidade é tudo que temos 135
Não desperdice sua vida — nem seu tempo
11. Reformulação dos relacionamentos 148
Como Deus transforma suas relações
12. Redes sociais, TV, tecnologia — ai, ai, ai! 162
Dê a Deus o controle de suas redes e entretenimento

Parte 5: A missão
13. Vá e fale 177
Precisamos espalhar essa revolução do amor
14. Sem reservas, sem recuos, sem remorsos 195
Convicção radical para iniciantes

Conclusão 209
Definição de um revolucionário

Agradecimentos 217
Notas 223

Prefácio

Minha vida mudou quando eu tinha dezesseis anos. Lembro-me de estar sentado em minha escrivaninha, agitado e desesperado. Meu futuro estava em jogo. Eu conseguia sentir isso! Deus estava lutando por meu coração, e meus desejos pecaminosos contra-atacavam. Eu precisava tomar uma decisão. Debruçado sobre meu *notebook*, comecei a digitar.

Escolherei o destino do homem comum ou do homem incomum?

Não é nem preciso mencionar que uma vida de pecado e tristezas está prontamente disponível a todos, ao passo que uma vida de pureza, honra e virtudes é concedida apenas a poucos preciosos. [...]

O caminho do justo está coberto de vegetação e é pouco trilhado. É uma estrada solitária, por vezes passando por subidas íngremes e vales profundos. O caminho comum oferece muitas comodidades, é aberto, facilmente trafegado e repleto de companhia.

A retidão é um trabalho que envolve fugir da tentação, correr para Cristo, combater o bom combate, correr a corrida e lutar comigo mesmo.

A complacência, por sua vez, oferece uma estrada sem preocupações. Eu me entrego a coisas das quais deveria fugir e com as quais deveria lutar. É muito mais fácil de escolher, bem mais simples e exatamente o que desejamos — porém não aquilo que eu quero.[1]

À medida que as palavras iam para a tela, minha resolução se fortalecia cada vez mais. Eu queria agradar a Deus. Queria viver para ele. Não queria ser mais um adolescente acomodado.

10 • PAIXÃO RADICAL

Não queria deixar o pecado reinar em minha vida. Muito embora meus desejos pecaminosos ainda se fizessem presentes, eu não poderia segui-los e seguir a Deus ao mesmo tempo.

Catorze anos depois, posso relatar com lágrimas nos olhos que Deus honrou o derramar apaixonado de meu jovem coração. Ele cumpriu a parte dele no acordo e respondeu a meu zelo adolescente com amor e fidelidade constantes, trazendo-me de volta vez após vez. Digitar as palavras não deu fim à batalha, mas definiu seu resultado. Ao olhar para trás, percebo que aquele dia — 8 de agosto de 2005 — foi o mais importante de minha vida. Foi o dia em que comecei a buscar o Senhor com fervor.

A Bíblia está repleta de histórias de transformação. Você sabia que Davi escreveu salmos e derrotou um gigante na adolescência?[2] Ou que Jeremias aceitou o chamado de Deus para ser profeta aos dezessete anos de idade?[3] Ou que muitos dos discípulos eram adolescentes quando deixaram as redes para seguir Jesus?[4]

Aprendi há pouco tempo que Josias, que se tornou rei aos oito anos de idade, começou a buscar ao Senhor aos dezesseis. A Bíblia compartilha esse curto relato sobre o início da vida de Josias: "No oitavo ano de seu reinado, enquanto ainda era jovem, começou a buscar o Deus de seu antepassado Davi" (2Cr 34.3). Antes de começar a reformar o templo, antes de redescobrir o livro da lei, antes de destruir a adoração a ídolos em Isaías — Josias começou a buscar o Senhor. Já ouvi essa história ser contada muitas vezes, mas nunca havia me atentado a esse detalhe. É o primeiro evento significativo do reinado de Josias e deu o tom para todo o restante.

Enquanto ainda era jovem, começou a buscar o Senhor.

E você? Já começou a buscar? Está buscando com fervor? Nada é mais importante do que isso. Deus não está à procura de notas perfeitas, um troféu de campeonato estadual ou uma bolsa de estudos na faculdade. "O Senhor olha dos céus para toda a humanidade, para ver se alguém é sábio, se alguém busca a Deus" (Sl 14.2).

Você será um deles? Eu serei?

A leitura de *Paixão radical* me desafiou, pois acabei me tornando satisfeito em meu relacionamento com Deus. Como Sara descreve, eu acho que estou buscando profundamente, quando, na verdade, mal estou buscando a Deus. No passado, já li a Bíblia inteira em dois meses, decorei todo o livro de 1João e coloquei o despertador para tocar a cada dez minutos a fim de orar durante uma semana. Não eram truques religiosos feitos para impressionar ninguém, mas, sim, expressões genuínas de meu coração para conhecer e amar a Deus — e eu quero agir propositadamente assim de novo.

Este livro é um convite para buscar o Senhor de todo o coração. Nada de "espere até ficar mais velho". Nada de "espere a vida se acalmar". Nada de esperar mais. Ponto final.

Em favor de mim mesmo, escolhi parar de esperar para buscar mais a presença de Deus por meio da oração. Por anos, dei a desculpa de que minhas circunstâncias são difíceis demais, estressantes demais e imprevisíveis demais para passar muito tempo em oração. Afinal, nossa tendência é pensar que precisamos de uma agenda consistente a fim de desenvolver uma boa rotina de oração. Mas a Bíblia é bem clara: "Algum de vocês está passando por dificuldades? Então ore" (Tg 5.13). E é isso que vou fazer.

Hoje eu me comprometo mais uma vez a buscar profundamente. Você está comigo nessa?

Brett Harris,
coautor de *Do Hard Things* [Faça coisas difíceis]

Introdução

Chegou a hora da revolução do amor

Há uma nova geração surgindo.

Alguns nos chamam de geração Z ou iGeração. Outros se referem a nós como pós-*millenials*. Somos o pulsar do coração deste século. Somos conhecidos por amar cafeterias, tirar *selfies*, jogar *videogame* e nos divertir. Somos especialistas em tecnologia e descolados, e temos a reputação de saber o que é tendência e o que está na moda.

Quem somos nós? Somos adolescentes.

Se você ainda não tiver notado, muita gente tem opiniões a nosso respeito. Mas poucos nos rotulam como seguidores apaixonados de Jesus.

E eu estou aqui para mudar isso.

Enquanto escrevo este livro, tenho dezenove anos. Isso quer dizer que sou oficialmente adolescente há sete anos. Em outras palavras, dá para afirmar que sei um pouquinho sobre essa coisa chamada "adolescência".

Conheço o estigma associado a nossa faixa etária. Estou familiarizada com as baixas expectativas e com o fato de que a cultura espera que sejamos egoístas, irresponsáveis e rebeldes. Já caminhei ao lado de adolescentes lutando contra essas expectativas, e também sei como é conviver com pessoas que esperam que *eu* ceda à pressão. Mas há algo que me diferencia: *Jesus*. Ele mudou minha vida 100%, profunda e radicalmente.

Não sou muito diferente de qualquer outro adolescente. Ainda tenho meus conflitos. Ainda luto todos os dias contra coisas como pensamentos impuros e arrogância. Luto contra o orgulho e a falta de perdão. De todo modo, por causa de minha humanidade, eu deveria ser (e com frequência sou) egoísta e focada em mim mesma, *mas Jesus* está me ensinando a ser abnegada. Eu deveria ser extremamente irresponsável, *mas Jesus* está me capacitando e me dando responsabilidades como membro de seu reino. Eu deveria ser totalmente rebelde, *mas Jesus* está me conduzindo a uma vida pautada por um tipo diferente de rebelião — uma rebelião contra o pecado e a fragmentação de nosso mundo. *Mas* e *Jesus* são duas das palavras mais poderosas que existem quando colocadas lado a lado. Elas mudam o jogo por completo. Transformam insatisfação em satisfação, insucesso em realização, uma vida de esforço e busca sem sentido em uma busca apaixonada por Jesus Cristo. Sei disso porque vivenciei essa redenção gloriosa. Não mereço nada. Sou apenas uma adolescente normal, à procura de Deus, com tudo que há dentro de mim.

Já cheguei lá? Não.

Sou perfeita? Com certeza não.

Deus não precisa de pessoas perfeitas, mas deseja pessoas apaixonadas.

E creio que é isso que falta em nossa geração.

A *paixão*. O *desafio*. O tipo de amor louco e radical, capaz de fazer sua vida virar de cabeça para baixo.

Ao longo de meus anos na igreja, participando do grupo de jovens, observei esse vazio em mim e nos adolescentes ao meu redor. Eu sabia que era necessário haver mais — mais paixão, devoção e compromisso — no que diz respeito a seguir Jesus.

Por isso, comecei a buscar e questionar a mim mesmo e os outros adolescentes, mas principalmente o *status quo* no qual vivíamos. Comecei a escrever, abrindo meu coração e minhas perguntas em postagens em *blogs* e artigos, e descobri que eu não era a única. Percebi que há mais — muito mais — quando seguimos Jesus. Os adolescentes não só sentem esse vazio como também sabem que Jesus os está chamando a uma fé mais radical. Só precisam do desafio e da coragem de se erguer para vivê-la.

Continuei a me aprofundar, buscar Jesus e escrever. Deus foi abrindo portas, uma a uma. Desde liderar um pequeno grupo para meninas pré-adolescentes até me tornar escritora, colunista e editora de um dos *sites* mais populares para cristãos adolescentes, TheRebelution.com. Eu me vi então saindo da zona de conforto a fim de aprender a colocar em prática aquilo que escrevia. Continuo me aprofundando na busca por Jesus (e está claro que continuo escrevendo). Quanto mais interajo com outros adolescentes, tanto *on-line* quanto face a face, mais animada me sinto com o aprendizado de nossa geração para seguir a Cristo de todo o coração. No entanto, para que isso aconteça, precisamos ser fortalecidos, inspirados e até *desafiados* em nossa caminhada com Deus.

Ao longo deste livro, você conhecerá adolescentes que lutam com as mesmas perguntas e dúvidas que você.

Moças como Bella, criada em um lar cristão, mas que ainda está em busca de respostas. Por fora, tudo parece ótimo, mas, por dentro, ela está desesperada à procura de sentido.

Ou Megan, que já seguiu Jesus no passado, mas agora está indo de mal a pior, tentando de tudo para voltar a ter alegria e paz.

16 • PAIXÃO RADICAL

Você também conhecerá alguns de meus heróis.

Ivan, que se recusou a negar a Cristo e estava disposto a morrer por ele.

Jim, apaixonado por anunciar o evangelho, a despeito do preço.

Jeremiah, um guerreiro que batalhou pela vida dos que ainda nem nasceram como se estivesse lutando pela própria sobrevivência.

Você aprenderá também sobre minha jornada. Entenderá por que Jesus é tão importante para mim e por que o sigo, mesmo que nem sempre seja fácil. Ouvirá sobre minhas lutas e sobre as vezes em que falhei, mas, o mais importante de tudo, saberá de todas as ocasiões em que Jesus foi fiel.

E juntos nos aprofundaremos em entender por que tudo isso é tão relevante.

Não importa se você não faz a menor ideia de por que está lendo este livro, se já não aguenta mais outra festinha do grupo da igreja para comer *pizza* e brincar de jogos de tabuleiro no anseio por algo mais profundo, se está cansado de se esforçar ao máximo e nunca se sentir bom o bastante, ou se simplesmente deseja conhecer Jesus melhor, cavaremos por baixo da superfície a fim de aprender por que segui-lo é de extrema importância.

Se você está cansado de buscas vazias...

Se não entende o que de fato significa ser cristão...

Se quer jogar por terra as baixas expectativas e a apatia...

Se tem sede de mais de Jesus...

Chegou a hora da revolução do amor.

O que é a revolução do amor?

É o momento de começar uma revolução contra nossa apatia.

Nosso relacionamento com Deus é seguro demais, consegue perceber? Não há desafios. Não nos custa nada. A maioria dos cristãos se contenta em se misturar à sociedade, mas chegou a hora de dar um passo à frente. Estamos à beira de um motim, de uma santa insurreição, de uma *revolução do amor* que pode nos levar a uma mudança de expectadores apáticos para seguidores completamente comprometidos.

Ao olhar para trás e recordar meu relacionamento com Jesus, observo dois elementos cruciais.

Paixão e *compromisso.*

Um relacionamento próspero com Cristo necessita de ambos. Se você tem apenas paixão, ela esfriará quando a vida estiver difícil, quando vierem críticas e perseguição, quando for necessário tomar decisões complexas. Pode ser o suficiente a princípio, mas, por si só, a paixão não se sustenta.

E, se você tiver apenas compromisso, seu relacionamento com Cristo será menos um relacionamento e mais uma religião — um compromisso com os "faça isto" e "não faça aquilo" de ser cristão. Falta justamente o que Jesus nos diz que é o primeiro e maior mandamento: amar a Deus.

A paixão e o compromisso andam de mãos dadas. São inseparáveis para o fiel seguidor de Jesus. A paixão leva ao compromisso e o compromisso sustenta a paixão. Ecoo as palavras de Elisabeth Elliot: "Tenho um desejo agora — viver em entrega absoluta ao Senhor, dedicando a isso toda minha energia e força".[1]

É isso que significa seguir Jesus. Despertar uma paixão — uma entrega absoluta — por Cristo, reforçando-a como algo duradouro.

Em uma palavra, é *devoção.*

Devoção radical e verdadeira significa mais do que entusiasmo temporário.

Deus não quer nosso entusiasmo meteórico. Não quer um amor que hoje brilha, mas amanhã se apaga. Não é nisso que consiste o cristianismo. Não é nisso que consiste este livro.

Consiste em compromisso até a morte.

Em fé perseverante.

Em obediência radical.

Em se *apaixonar* por Jesus.

Hoje eu o convido a se unir a mim em uma jornada distante do mundo, rumo a Cristo.

Não posso prometer que será fácil. Aliás, talvez seja extraordinariamente doloroso. Vai tensioná-lo e desafiá-lo, mas posso lhe garantir que será transformador. Não é para os fracos de espírito. Em vez disso, é para o lado revolucionário, pródigo e rebelde dentro de você que insiste em dizer: "Tem de haver mais!". Você pode ser chamado de louco ou esquisito, até mesmo de fanático por Jesus. Talvez seja excluído, ridicularizado ou perseguido. O preço é alto, mas a recompensa é maior ainda.

Chegou o momento de descobrir. Chegou a hora de deixar de lado a busca de todas as outras coisas e correr atrás daquele que tem tudo de que você necessita. É hora de passar por um despertamento e um reavivamento.

Que tipo de paixão você necessita para transformar sua vida?

Quão radical está disposto a ser?

Que tipo de amor será necessário para você dar seu tudo?

Vamos começar essa revolução do amor.

PARTE 1

O CHAMADO

1

O impostor revelado

Qual é o problema?

— Cada um recebe cinquenta dólares para gastar como bem entender — anunciou meu líder de jovens enquanto permanecíamos no *hall* da igreja, esperando alguns atrasados chegarem. Ele espalhou sacolinhas com algumas cédulas dentro. Era o "dia do dinheiro grátis", e o grupo de jovens estava esperando ansioso por esse evento anual havia algumas semanas. Afinal, não era todo dia que simplesmente recebíamos cinquenta dólares a troco de nada.

— E se não gastarmos tudo? — perguntou um dos caras à minha frente, em tom de brincadeira. O amigo ao lado dele deu risada e abriu a própria sacolinha.

— Todos precisam entregar as notas fiscais ao fim do dia. Quem não gastar tudo, deve devolver o que sobrou.

Os rapazes começaram a conversar entre si, fazendo planos para o dia. Poupariam a maior parte do dinheiro para a loja de *videogames*. Nós, meninas, estávamos mais interessadas em ir ao *shopping*.

A cidade grande mais próxima ficava a uma hora de distância. Do meu lugar no fundo da *van*, tive muitas oportunidades de observar os outros adolescentes. Todos estavam dando risadas, brincando, dividindo lanches e contando como gastariam o dinheiro. Na metade do caminho, meu coração se partiu um pouco quando me dei conta de como iríamos passar aquele dia inteiro.

Fiquei lá no branco de trás, olhando para fora da janela enevoada, enquanto a acusação incomodava meu coração. O dia inteiro — desde o dinheiro que recebemos, os lugares para onde iríamos, até o filme ao qual assistiríamos mais tarde — tudo girava em torno de *nós*. Nenhum de nós havia pensado duas vezes antes de usar o dinheiro da igreja para custear um dia de autogratificação. Mas seria aquele, de fato, o melhor que poderíamos fazer com nosso tempo e dinheiro? É isso que significa ser um adolescente cristão? Esse é o sentido de pertencer a uma igreja? E o pior de tudo: nós nem paramos para pensar em nada disso, pois esse era apenas mais um evento de muitos outros semelhantes. Saídas assim formavam a essência de nosso grupo de jovens e dos motivos que nos levavam à igreja — nos divertir, praticar nossas habilidades de pingue-pongue e comer *pizza*. Esse era o cristianismo que havíamos aceitado.

Enquanto continuava a ponderar acerca dessas coisas, tirei o caderninho minúsculo que guardo na bolsa e anotei cinco perguntas:

- E se, em vez de estar em uma *van* cheia de diversão, estivéssemos em uma *van* cheia de propósito?
- E se, em lugar de canalizar nossas energias em coisas egoístas, a usássemos para fins altruístas?
- E se escolhêssemos os desejos de Deus, em vez de nossos desejos?
- E se recusássemos o *status quo* para nos erguer como uma geração que proclama Jesus?
- E se, um por um, escolhêssemos abrir mão de uma juventude ocupada em atender a nossos anseios, a fim de, em troca, atender aos anseios do reino de Deus?

E se?

E se fizermos isso hoje? E se você e eu nos erguermos além das baixas expectativas de nossa cultura e buscarmos a Cristo com paixão?

Naquele dia, enquanto fazíamos compras, essas perguntas continuaram a ressoar em meu coração. Voltei para casa com uma pilha de livros, mas, melhor do que isso, voltei com uma montanha de convicção. Nunca mais participei de outro "dia do dinheiro grátis".

Apatia revelada

Conheça Brayden. Ele tem dezoito anos e acabou de entrar na faculdade. Mesmo tendo crescido na igreja, ele me contou recentemente: "Nunca busquei um relacionamento apaixonado com Cristo, pois jamais tive outra pessoa com quem compartilhar essa jornada. Ninguém que eu conheço leva Deus a sério".

Trevor, dezesseis anos, sente a mesma coisa. Ele me procurou por estar incomodado com seu relacionamento distante com Deus. "Sinto que está faltando alguma coisa. Sei que Deus é real. Eu já o vi operar na vida de outras pessoas, mas parece que não consigo ter forças para mudar, por isso acabo deixando Deus em segundo plano."

Kelly tem quinze anos. Frequenta a igreja desde que nasceu, mas percebe os problemas que existem ali dentro. "Os cristãos podem ser arrogantes no que diz respeito às questões mais complexas", comentou. "Não nos dê réplicas batidas ou uma mensagem do tipo água com açúcar. Necessitamos de respostas sólidas."

Todos esses são adolescentes reais, como você e eu. E esses são problemas reais que enfrentamos.

24 • PAIXÃO RADICAL

Os adolescentes têm dilemas a enfrentar. Há dúvidas e perguntas acerca de Deus e do cristianismo. Enxergamos os problemas da igreja e a hipocrisia nos cristãos. Temos fome da verdade, mas raramente ela nos é apresentada. Muitos de nós têm aversão à religião morna que vemos ao nosso redor, ao mesmo tempo que sentimos dificuldade para lutar contra a pressão diária de fazer concessões.

Muitos adolescentes se veem em um impasse no que diz respeito ao cristianismo. Vários se afastaram de Deus. A maioria não afirma ter nenhum tipo de relacionamento com ele. Até mesmo os que professam ser cristãos por vezes não levam a sério seu compromisso. De acordo com estatísticas do Grupo Barna, a cada cinco adolescentes, três se desligam da igreja após os quinze anos de idade.[1]

Se você é cristão, tenho certeza de que consegue se identificar com as lutas enfrentadas por adolescentes como Brayden, Trevor e Kelly. Todos notamos coisas que não deveriam ser como são — em nós e no mundo ao nosso redor. Há uma inconsistência entre aquilo que proclamamos e o que vivemos. Como Trevor, sentimos que não temos forças para mudar, então escondemos o incômodo lá no fundo da mente.

Já fui essa adolescente. A que está na igreja somente porque os pais levam. A que não tem um relacionamento íntimo e pessoal com Deus. O passeio do "dinheiro grátis" foi uma das primeiras vezes em que meus olhos se abriram para o fato de que há um problema — não só na igreja ou mesmo no evento em si, mas em *mim*. Na maneira como eu me relacionava com Deus e com a igreja e como abordava meu relacionamento com ambos. Eu não levava a sério, nem estava comprometida. Sabia que havia algo de errado e desejava um relacionamento mais apaixonado e genuíno com Jesus. Mas nenhum de meus amigos parecia ter uma conexão forte com Deus, então eu não sabia o que fazer. Você consegue se identificar?

São milhares os adolescentes que cedem às baixas expectativas e caem na armadilha de acreditar que os anos da adolescência não têm importância e que um relacionamento com Deus não tem importância. Podemos até ir à igreja, crer em Deus e fazer todas as coisas certas (na maioria das vezes), mas não buscamos a Cristo. Não passamos de adolescentes comuns, que se reúnem na igreja e nos grupos de jovens. Não damos tudo de nós. Ou quem sabe achamos que damos. Talvez pensemos que já estamos fazendo o suficiente, mas lá no fundo da alma sabemos que temos muito mais para dar.

Eu sei disso.

Você sabe disso.

Somos adolescentes apaixonados com uma fé apática, que afirmam servir a um Deus apaixonado em uma igreja desprovida de paixão.

Algo precisa mudar.

Cristianismo sem desculpas

Esta igreja não me alimenta espiritualmente

Meus pais não me ensinam sobre Deus.

Os cristãos são hipócritas.

A pressão dos amigos é forte demais.

Não tenho tempo.

Vou levar Deus a sério mais tarde.

Não é minha culpa eu não buscar a Cristo ativamente. Ninguém mais parece se importar. Por que eu deveria ser diferente?

Infelizmente, para muitos adolescentes, essas desculpas contêm um fundo de verdade. Não recebem o alimento espiritual

26 • PAIXÃO RADICAL

e o desafio de que necessitam. Muitos dos que se denominam cristãos de fato têm uma vida de hipocrisia. A pressão para nos moldar ao que vemos no mundo é mesmo forte. Isso torna ainda mais difícil e contracultural seguir a Cristo com paixão.

Muitos são os adolescentes que saem da igreja e se afastam do cristianismo porque não priorizamos um relacionamento íntimo e pessoal com Jesus. Com frequência, não vemos um modelo disso para nós. Contentamo-nos com um evangelho impostor, aguado, revestido por uma embalagem bonita, feita para chamar nossa atenção. Contentamo-nos com Jesus no *smartphone*, Jesus na tela, Jesus em um programa divertido, mas não buscamos as verdades puras e sem diluição do evangelho que são simplesmente... Jesus. Por causa disso, ir à igreja, orar e estudar a Bíblia se tornam meras partes de nossa "cultura cristã", em vez de resultar de um relacionamento genuíno com Cristo. Sim, podemos estar na igreja, mas nosso coração está em Cristo?

Temos uma tarefa de extrema importância à nossa frente. Além de fazer parte da igreja atualmente, nós *somos* a igreja do futuro. Agora mesmo, estamos morrendo. Espiritualmente falando, nossa geração não está prosperando e crescendo. Adolescentes como Brayden, Trevor, Kelly, você e eu somos os líderes da igreja do futuro e parte importante da igreja presente. Nossa caminhada atual com Deus reflete um cristianismo autêntico? Não chegou a hora de mudar? Que tal começar conosco, por meio de um despertamento adolescente de paixão por Cristo? Aquilo de que nós, a igreja atual e futura precisamos é de uma geração de adolescentes que amem apaixonadamente Jesus Cristo.

Em seu conhecido livro *Louco amor*, o autor Francis Chan diz: "O mundo necessita de cristãos que não toleram a complacência da própria vida".[2] Temos tolerado nossa complacência por tempo demais. Já demos desculpas demais. A hora de mudar é agora. O momento de nos erguer para rejeitar a apatia e buscar a Cristo chegou.

É possível que as expectativas baixas não mudem. Talvez as circunstâncias externas não mudem. Mas nós podemos mudar.

Quem sabe nossos amigos não entendam e nossos colegas não concordem, mas podemos nos posicionar, nos livrar da complacência e aprender a viver por Jesus de todo o coração, a despeito de tudo. Sim, será difícil. Mas creio que vale a pena.

Tenho uma visão para minha geração. Consigo nos enxergar nos levantando para ser a geração de seguidores de Jesus mais dedicados, comprometidos e apaixonados que o mundo já viu. Debaixo da superfície, há uma paixão dormente por Deus. Só precisamos despertá-la.

Creio ser possível porque, ao longo dos séculos, milhares de adolescentes já se levantaram e quebraram os padrões. Mudaram o molde e se recusaram a ceder à pressão. Você conhecerá alguns deles neste livro. Podemos seguir suas pegadas enquanto aprendemos a seguir a Cristo *sendo adolescentes*.

É hora de tomar uma decisão

Já vacilei em minha fé. Já me questionei se valia a pena. Já tive dúvidas. Já vi hipocrisia e pecado em meu coração e não foi nada bonito. Já pensei: "Eu sou um caos. Nunca serei boa o bastante. Por que me dar ao trabalho de tentar? Seria mais fácil simplesmente seguir o mundo".

Mas não importa o quanto eu duvide e a frequência de minhas dificuldades, sempre volto à mesma coisa.

Jesus vale a pena. Eu escolho Cristo.

Já senti seu amor, que superou minhas dúvidas. Já conheci seu perdão, que subjugou meu pecado. Já experimentei sua cura, que nublou minha dor. Não sou perfeita. Mas estou agora em um momento de vida no qual sei que mesmo que todas as pessoas que conheço — todos meus familiares e amigos — se afastassem de Jesus, eu continuaria a segui-lo. Ele vale mais e significa mais para mim do que qualquer outra coisa. Este livro não é um argumento teológico indiferente, mas um clamor do mais fundo da alma, do meu coração para o seu.

Quero compartilhar o que tenho aprendido e como estou me apaixonando por Jesus, mas para que você entenda e se una a mim nessa jornada, precisa reconhecer que há um problema e reconhecer como ele se revela em sua vida. Permita-me fazer algumas perguntas. Você já:

tentou se aproximar o máximo que conseguia do pecado sem se sentir culpado?

sentiu-se entediado na igreja, como se nada daquilo importasse?

abriu mão de seus princípios para se encaixar na turma?

colocou seu relacionamento com Deus em segundo plano?

rebelou-se contra seus pais, mesmo sabendo que eles só queriam o melhor para você?

esteve mais interessado em se divertir do que em servir a Deus?

Parece familiar? Já fiz cada uma dessas coisas. A indiferença em nosso relacionamento com Deus se manifesta em pequenas áreas: desbloquear o telefone, em vez de abrir a Bíblia; estar mais interessado na moça bonita ou no rapaz atraente sentado à nossa frente na igreja do que naquilo que o pastor está pregando; desabafar com os amigos, em vez de levar nossos problemas a Deus. Já fiz tudo isso e já me senti assim também.

Todos os dias, você toma uma decisão. Viver para Deus, para si ou tentar andar na corda bamba entre os dois? Por fim chega o momento em que é preciso escolher de uma vez por todas. As opções se resumem a três:

Você pode ser um cristão "ator" e se contentar com uma fé impostora. Como os atores em seus filmes preferidos, você diz as coisas certas, cumpre seu papel e vive de acordo com o *script.* Na realidade, porém, você não passa de um ator desempenhando um papel. Talvez imagine que essa opção lhe oferece o melhor dos dois mundos, mas é apenas uma escolha temporária. Esse caminho é um desvio. Acaba levando a uma encruzilhada entre as duas opções.

Você pode desistir do cristianismo e se afastar de Deus. Pode fazer o que quiser sem sentir culpa e não se preocupar em cultivar um relacionamento com Deus. Esse é o caminho mais escolhido, por isso é largo, suave e fácil de encontrar. Mas também é pavimentado com arrependimento e insatisfação. C. S. Lewis, ex-ateu que se tornou teólogo, escreveu: "Deus não pode nos dar paz e felicidade longe dele, pois tal coisa não existe".[3] Talvez você já tenha procurado paz e felicidade sem Deus. Foi tudo que você imaginou que seria?

Você pode escolher Jesus. Pode escolher segui-lo a qualquer preço e viver para a glória dele. Pode convidar Jesus para morar em seu coração e em sua vida, reconhecendo seu pecado e aceitando o perdão e a salvação que ele oferece. Mesmo que já tenha aceitado a Cristo como Salvador, pode dedicar novamente sua vida a ele e se comprometer a segui-lo. Esse caminho é bem mais estreito e muito mais difícil de encontrar. Não é suave, mas você contará com um Guia pessoal a cada passo da jornada. Embora seja uma estrada difícil, é também repleta de alegria, paz e amor. Vale a pena cada passo da jornada.

Agora mesmo eu convido você a parar e ler mais uma vez essas opções. Que caminho você escolheu no passado? Que caminho escolherá hoje? Pense bem e escolha com cuidado, pois essa decisão é bem mais profunda que um círculo rápido na alternativa A, B ou C. Trata-se de uma escolha que transforma a vida.

Se você escolheu Jesus, chegou a hora de entrar para a revolução do amor.

Antes de continuar, porém, ouça com cuidado. Você não encontrará aqui um evangelho reformulado. Nem um cristianismo diluído. Não é a "versão adolescente" de Deus, nem algo mais fácil de engolir, ou que exija menos mudanças de vida.

Seguir a Deus muda *sim* a vida. Aqui está o convite para você permitir que ele faça essa obra em sua vida.

APROFUNDE-SE

1. Qual foi sua reação à história sobre o evento do "dia do dinheiro grátis"? Como você gastaria os cinquenta dólares?
2. Falei bastante sobre apatia e complacência neste capítulo. Como você define essas duas palavras? Como acha que elas já se manifestaram em sua vida?·
3. Muito embora nossa vida às vezes seja restrita demais à "bolha cristã", por que você acha que nos falta paixão e compromisso com Deus?

4. O que expressões como "compromisso de todo o coração" e "devoção radical" significam para você? Você acha que Deus pede isso de nós? Como podemos segui-lo de forma prática?

5. Que escolha você fez ao fim deste capítulo? Como pode aplicar corretamente essa decisão hoje?

2

Não é uma festinha da *pizza*

Deus é muito maior, e a igreja também

Ao meu redor, as pessoas estavam cantando e erguendo as mãos, em adoração a Jesus.

Eu também estava tentando adorar. Sério mesmo. Mas, naquele domingo em específico, não estava sendo nada fácil. Meu coração não estava envolvido. As palavras dos louvores saíam de minha boca, mas eu me sentia meio hipócrita. Tentei erguer as mãos, mas o gesto pareceu vazio, desprovido de sinceridade.

A semana havia sido difícil e o tanque da fé estava vazio. Eu *queria* querer estar na igreja. Eu *queria* querer adorar. Mas não. Em vez disso, meu desejo era estar em qualquer outro lugar, menos na igreja, tentando pescar louvor de dentro de um coração sem louvor algum.

Olhei para as pessoas de pé nos corredores ao redor. Eu sempre era a moça de quem os outros se aproximavam após o culto para dizer coisas do tipo: "Amo ver você cantar e louvar Jesus. Dá para ver seu fervor a Deus!".

Bem, hoje minha esperança era que ninguém estivesse observando, pois esse fervor estava queimando bem fraquinho.

No entanto, aquela não era a primeira vez. Eu já havia sentido essa dificuldade antes — na igreja durante o culto ou em casa em meu momento de oração e leitura da Bíblia. A tendência à apatia. O anseio por conforto, familiaridade e entretenimento. O medo de se entregar radicalmente a Cristo.

E mais: eu sabia que não era a única a me sentir assim. Eu já vira amigos e colegas travarem a mesma batalha contra anseios e temores, para ceder à mornidão. Dentro do coração havia um forte grito entalado de "Por quê?", seguido de "Como?". Por que perdemos a paixão por Cristo? Por que o fogo se apaga? Como nós — adolescentes entusiasmados, cheios de energia — parecemos entusiasmados, cheios de energia para tantas outras coisas, menos para Jesus?

Embora conseguisse listar dezenas de motivos para sentir complacência em relação à fé, quero me concentrar no que creio ser o maior deles: o fato de subestimarmos absurdamente duas coisas, isto é, Deus e a igreja.

Quem é Deus *mesmo*?

Seria de fato possível subestimar a Deus?

Pode apostar que sim.

Aliás, não só é possível, como, na verdade, é impossível *não* fazê-lo. Nossa mente humana tem compreensão limitada, e há coisas sobre Deus que jamais seremos capazes de entender por completo. Contudo, se quisermos amá-lo apaixonadamente, precisamos saber quem ele é, mesmo que sua verdadeira profundidade seja incompreensível. Se não soubermos quem é Deus, não saberemos como viver por ele.

Deus é Elohim (nosso Criador)

Tenho certeza de que você já ouviu isso antes, mas merece ser repetido. *Deus nos criou do pó da terra.* Aliás, do pó que ele também havia criado.

Elohim é um dos muitos nomes de Deus. Subentende sua força e seu poder. É também o primeiro nome de Deus encontrado na Bíblia. Logo em Gênesis 1.1 nos é dito: "No princípio, Deus [*Elohim*] criou os céus e a terra". Cada parte do universo — de bilhões de galáxias às montanhas mais majestosas, do fio de cabelo em sua cabeça aos átomos e moléculas que reúnem tudo — foi projetada e criada por Deus. Ele falou e a luz brilhou. Ele falou e os planetas vieram à existência. Ele falou e cada planta, grande e pequena, floresceu. Ele falou e cada animal, pássaro, inseto e peixe despertou para a vida. O ar encheu os pulmões e corações começaram a bater.

Ao olhar para o mundo, vejo nele aspectos de *Elohim*. A criação revela a imagem de seu Criador. Já ouvi dizer que a beleza da criação divina é apenas uma estrela tremulante dentro do sol intenso de sua glória. Extraordinário nem começa a descrevê-lo, e não encontro palavras que consigam fazê-lo. Quando imagino Deus criando com todo amor uma humanidade que se rebelaria contra ele e um mundo que se afastaria dele, não consigo imaginar por que deu continuidade a sua obra de arte, a não ser pelo simples fato de que ele a *amou*.

Deus é Salvador (nosso Redentor)

Por causa de nossa rebelião contra o plano perfeito de Deus, nosso relacionamento com ele foi abalado. Mas Deus continuou nos amando tanto que persistiu em perdoar à medida que os milhares de anos se passavam. Nesse período, um sistema complexo e rigoroso entrou em ação. Somente algumas pessoas específicas podiam entrar na santa presença de Deus, e todos precisavam oferecer sacrifícios de animais a fim de expiar seus pecados. Trata-se de um sistema exigente que mostrou, com toda clareza, a ruptura do relacionamento entre Deus e a humanidade. Não era muito sustentável, para dizer o mínimo. Mas Deus tinha em mente um plano melhor — um Salvador para dar fim às velhas práticas, tornar-se o sacrifício final, redimir-nos e conduzir-nos a um novo sistema. Por isso, Deus se fez carne neste mundo, sob a forma de um bebê chamado Jesus, que viveu entre nós e, por fim, morreu em nossas mãos *em nosso favor.*

Preciso confessar que meu coração está mais endurecido diante dessa história do que eu gostaria de admitir. É provável que o seu também. É fácil pensar: "Sim, sim, já sei tudo isso" porque conhecemos os fatos — sabemos o que aconteceu, como aconteceu e assim por diante. No entanto, quando enfrento dificuldades para entender a magnitude do sacrifício de Cristo, Deus em sua graça gentilmente me lembra de que, mesmo sabendo tudo, ainda me esqueço. Vamos recordar juntos.

Nosso pecado mandou Jesus à cruz e o manteve ali até ele exclamar: "Está consumado" (Jo 19.30). Imagine os chicotes que marcaram suas costas, os pregos que penetraram suas mãos, sua agonia de se separar de Deus Pai. E não se esqueça de que ele suportou tudo por sua causa. Esse é o tamanho do amor que ele tem por você. C. S. Lewis afirmou: "Quando Cristo morreu, ele o fez individualmente, como se você fosse o único ser humano no mundo".[1] Ele voluntariamente se colocou sobre o altar e se tornou, ao mesmo tempo, sacerdote e sacrifício, vitorioso e vítima.

Então venceu a morte, tornando completa nossa salvação, se tão somente o aceitarmos e o buscarmos. Ele morreu por causa de seu amor intenso por nós e de seu desejo de nos conhecer intimamente. Oro para que entendamos a beleza disso. Esse *amor.* Esse *sacrifício.* É inimaginável, mas é nossa história.

Deus é Abba *(nosso Pai)*

De todos os nomes e todas as características de Deus, essa é minha preferida. Com seu poder, ele nos criou. Com seu

36 • PAIXÃO RADICAL

sacrifício, ele nos salvou. Mas com seu amor gentil, ele promete que também é nosso *Abba* — literalmente, nosso papai.

Em Isaías 49, Deus pergunta: "Pode a mãe se esquecer do filho [...] que ela deu à luz?". Sua resposta: "Mesmo que isso fosse possível, eu não me esqueceria de vocês! Vejam, escrevi seu nome na palma de minhas mãos" (v. 15-16). Deus está dizendo que, por mais forte que seja o amor de uma mãe, seu amor é ainda mais forte. Nosso nome está gravado na palma de suas mãos e escrito para sempre em seu coração. Embora possamos até nos esquecer dele, ele jamais se esquece de nós.

Deus é santo e digno de nosso louvor

Em Apocalipse, temos um vislumbre de uma cena extremamente dramática — mais dramática, mais cheia de tensão e que causa mais deslumbramento do que qualquer coisa que jamais poderíamos compreender. Damos um passo para dentro da sala do trono de Deus e temos acesso a uma breve descrição de quem ele é. Retratadas nessa cena estão quatro criaturas, que parecem um pouco assustadoras e poderiam muito bem fazer parte de um filme de ficção científica — quem disse que a Bíblia é tediosa? Eles não descansam nem de dia, nem de noite e passam o tempo todo recitando a mesma aclamação, vez após vez: "*Santo, santo, santo é o Senhor Deus, o Todo-poderoso*" (Ap 4.8, itálico acrescentado). São incessantes em seu louvor, pois não importa quantas vezes o louvemos, nem as palavras que usemos, jamais seremos capazes de chegar perto de traduzir nosso Deus santo, perfeito e todo-poderoso.

Deus é muito, muito mais

À medida que avançamos neste livro, oro para que você passe a buscar a Deus por conta própria. Mas preciso adverti-lo:

NÃO É UMA FESTINHA DA *PIZZA* • 37

quanto mais você aprende sobre Deus, mais reconhece que há muito ainda para conhecer. Descobriremos uma parte, mas há muito que só saberemos depois de chegar ao céu. Ele é mais poderoso do que conseguimos imaginar, mais amoroso do que conseguimos apreender. Mas isso não deve nos impedir de buscá-lo. Eu o desafio a clamar a Deus assim como fez Moisés: "Então peço que me mostres tua presença gloriosa" (Êx 33.18). Ele mostrará, mas, depois de ter uma prova, jamais será o bastante — você sempre ansiará por mais.[2]

O que — ou quem — é a igreja?

Deus é a maior e mais importante parte dessa história, mas há outro personagem no palco. E é a igreja. Há muitos conceitos equivocados acerca do que é a igreja. Ao contrário do que muitos pensam, a igreja não é "o quê", mas, sim, "quem".

Somos nós. Deus projetou a igreja para ser um corpo mundial de cristãos que nos incentivam e encorajam em nossa caminhada com ele. É por isso que vamos à igreja — porque nós somos *a* igreja. Trata-se de um lugar no qual podemos aprender, crescer, servir e passar tempo com outros cristãos. É importante estar conectados com a igreja mundial sendo parte de uma igreja local, pois é ali que somos capazes de aprender com nossa "família" espiritual, servir os outros e nos aproximar de Jesus. Não podemos fazer um voo solo em nosso relacionamento com Deus, nem ter uma fé isolada. Precisamos das outras pessoas. Precisamos da igreja. E a igreja precisa de nós.

Vamos ir mais fundo e aprender o que a igreja *não* é.

Igreja não é uma denominação

Há alguns anos, uma mulher mais velha que eu não conhecia se aproximou de mim e perguntou: "Qual é sua denominação?".

Ao que tudo indica, eu não só parecia alguém que deveria saber o que a palavra *denominação* significa, mas também deveria fazer parte de uma. Pega desprevenida, eu a encarei por alguns segundos, enquanto a mente se acelerava em busca de uma resposta.

Pensei: "Bem, meus pais frequentavam uma igreja metodista quando eu era bebê, depois fomos para uma igreja batista. Também participamos de uma igreja doméstica por alguns anos e agora estou em uma igreja não denominacional. O que isso me torna? Eu meio que nunca parei para pensar sobre isso...".

Por fim, acabei falando o nome da igreja que minha família e eu frequentamos, mas, lá no fundo, minha mente refletia: "Hum... Sou simplesmente cristã". Arrasou, hein, Sara? Nota dez em traquejo social. Dá para ganhar pontos por esquisitice?

Embora eu espere conseguir responder à mesma pergunta hoje com um pouco mais de elegância, continuo a me considerar "simplesmente cristã". Eu creio na Bíblia. Ela é a Palavra de Deus completa e infalível, repleta de verdades absolutas, sem nenhum erro sequer. As diferenças denominacionais existem, mas, com frequência, não passam de questões superficiais. O que importa é a Bíblia. É ela que confere unidade à igreja mundial, pois é o que de fato importa. Todavia, é verdade que até mesmo as interpretações das Escrituras variam. É por isso que devemos nos aprofundar continuamente na Palavra de maneira individual, usando a sabedoria e o discernimento que o Espírito Santo proporciona.

A igreja deve nos aproximar mais de Jesus, nos ensinar a Bíblia, nos desafiar a ser mais profundos, nos capacitar a sair, servir e compartilhar o evangelho, além de ser um lugar no qual estamos sempre aprendendo, crescendo, doando e recebendo. Infelizmente, em um mundo de concessões, às vezes descobrimos igrejas especialistas em abrir mão de seus princípios. Só porque um prédio deveria ser uma igreja não significa que é um bom exemplo de igreja. Por essa razão, devemos ser sábios, usar de discernimento e sempre ir ao ponto central: *tudo está de acordo com a Bíblia?* Diferenças de culto e estilo não são as mais importantes. Em vez disso, o que está em jogo é o quanto a igreja está fortemente alicerçada nas Escrituras, sem abrir mão dos princípios e firme em seu posicionamento de viver e ensinar o evangelho.

Igreja não é um prédio

É fácil pensar na igreja como um prédio ou uma estrutura que Deus abençoa por causa de seu nome. Mas não é esse o caso. O prédio é meramente o lugar onde nos reunimos — não o que faz a igreja.

A igreja pode existir em qualquer lugar. Em um campo. Em uma masmorra ou cela de prisão, na qual pessoas perseguidas por Cristo o adoram mesmo assim. A igreja pode se reunir nos corredores de um supermercado, durante um culto de oração improvisado. Pode ser em uma casa. A igreja pode acontecer em qualquer lugar, pois Jesus nos ensina que "onde dois ou três se reúnem em meu nome, eu estou no meio deles" (Mt 18.20). O Espírito Santo não habita em um prédio; ele mora em nosso coração. Por isso, aonde quer que formos, ele estará conosco, seja na igreja, seja no *shopping*.

Isso não quer dizer que podemos deixar de frequentar a igreja. As Escrituras nos explicam que ir à igreja e encontrar outros cristãos com regularidade são aspectos vitais da experiência cristã (Hb 10.25). Pois, quando um grupo de pessoas que amam a Jesus se reúne, Deus está no meio delas.

40 • PAIXÃO RADICAL

Igreja não é para pessoas perfeitas

Jesus explicou isso da melhor maneira: "As pessoas saudáveis não precisam de médico, mas sim os doentes" (Mt 9.12). Alguns indivíduos abordam a igreja e o cristianismo com a seguinte atitude: "Primeiro eu preciso dar um jeito na minha vida". Contudo, se esperarmos ser perfeitos antes de aceitar Jesus, esperaremos por muito, muito tempo. Certa vez, uma mãe me contou que os filhos dela haviam parado de ir à igreja porque não se sentiam dignos de estar ali depois de tudo que faziam. Se nosso passado e nossos pecados puderem nos tirar da igreja, acabarão por nos afastar de Deus. Somente quando nos achegamos a Deus é que podemos ser libertos do fardo de uma vida sem ele.

Jesus morreu para cobrir nossas imperfeições com seu sacrifício imaculado. Ele pegou nossa justiça, que equivale a trapos imundos (Is 64.6), e nos tornou mais alvos que a neve. A igreja não é feita de pessoas perfeitas, mas, sim, de pessoas perdoadas.

Igreja não é entretenimento

Tenho notado uma nova tendência nas igrejas. Como ouviram a mensagem sombria de que a geração Z está deixando todo o resto no chinelo, as igrejas estão encontrando formas criativas de nos manter dentro de suas paredes. Noite de *pizza*? Claro! Que tal uma por mês? Pequenos grupos? Deixem conosco! Campeonatos de pingue-pongue? Que tal *softball* também? E um desafio de *escape room*? Anotado! Festa temática de Natal, boliche no Dia de Ação de Graças e guerra das cores no parque? Vamos lá!

É claro que adoramos tudo isso. Como não? Todas essas atividades são divertidas. (Não sei você, mas eu acho completamente incríveis os desafios de *escape room*!) E de fato essas coisas nos atraem. Até levamos nossos amigos de fora da igreja e nos divertimos muito. Mas quando as caixas de *pizza* vão para o lixo e a fantasia de Natal é guardada para o ano seguinte, o que nós ganhamos? Provavelmente ouvimos uma mensagem e cantamos alguns louvores, mas é como se essas coisas fossem a banda de abertura em um *show*. Quem vai à apresentação por causa dela? Estamos lá para a banda principal. Recebemos uma pepita de verdade, embalada em camadas e mais camadas de enchimento. Na escala da igreja, parece que o evangelismo fica na frente do discipulado, mas ambos precisam ter seu lugar. Ainda que seja importante alcançar os de fora, o discipulado sério é fundamental para o crescimento espiritual.

Verdade seja dita, não é tudo culpa da igreja. As igrejas podem dar festinhas da *pizza* se quiserem — não é essa a raiz do problema. A real questão é que há gente demais que se aproxima de Deus e da igreja com uma mentalidade de festa. Essas pessoas perguntam: "O que posso ganhar?", em lugar de "O que posso dar?", ou "Quanto posso me divertir?", em vez de "Como posso aprender, crescer e servir?".

Aquilo que tanto o mundo quanto a igreja necessitam é de uma geração de jovens que coloquem essa perspectiva de cabeça para baixo. É preciso declarar com ousadia e paixão: "Não preciso de festas da *pizza* para me manter na igreja. Preciso de Jesus. Preciso do evangelho. Preciso de convicção e de ser desafiado. E estou disposto a ir até o fim por Cristo".

Essa é a base. Agora, comecemos a prosseguir adiante, para o alto e para dentro. Escutou o chamado de Deus? Tem a ousadia necessária para lhe dar ouvidos?

APROFUNDE-SE

1. Você já descobriu que, no que se refere a Deus, tem uma "tendência à apatia" e "medo de se entregar radicalmente a Cristo"? Por que você acha que isso acontece?
2. Qual é seu aspecto preferido do caráter de Deus, e qual você acha que mais subestima?
3. Algum aspecto do caráter de Deus o surpreendeu? O que você acrescentaria à lista?
4. Você tende a pensar na igreja como uma denominação ou um prédio? Este capítulo muda sua maneira de entendê-la? Como?
5. Em sua experiência pessoal, a igreja está mais ligada ao entretenimento? Como você pode ajudar a mudar isso?

3

Não quero um Jesus de Facebook

Além da superfície

Externamente, Bella é um exemplo de moça cristã perfeita.

Criada em um lar cristão, ela vai à igreja todo domingo e participa do grupo de jovens toda quarta-feira. É voluntária em ministérios locais e todo ano lidera um pequeno grupo no acampamento bíblico. Você jamais a consideraria extravagante, rebelde ou mesmo desviada.

No entanto, ao conhecê-la de perto, é possível encontrar uma jovem ferida que enfrenta dificuldades, tentando atravessar a corda bamba entre Deus e o mundo. Puxada para duas direções opostas, as lutas de Bella refletem o vazio e a busca que todos experimentamos sem Cristo, mesmo que ela tenha sido cercada de religião a vida inteira.

Meghan está na mesma situação, com a diferença de que, ao contrário de Bella, ela parece satisfeita. Infelizmente, isso também não passa de uma capa. Seus pais se preocupam com ela, seus amigos são frágeis e superficiais, e as influências da mídia guiam sua vida. A filosofia de que "o importante é se sentir bem" determina suas crenças e seu jeito de viver.

Essas duas moças são cristãs. Mas ainda falta algo na vida delas.

Nossa ilusão de cristianismo

É fácil ter um cristianismo superficial. E não estou falando de Bella e Meghan.

Estou falando de *mim*.

Eu cresci em um lar cristão. Sei as coisas certas a dizer e como me fazer parecer uma cristã perfeita. Tenho adesivos com frases cristãs no para-choque do meu carro. Sou ótima líder de escola bíblica de férias (você não faz ideia da grande realização espiritual que isso é até precisar entreter uma dúzia de crianças de três anos por duas horas!). Tenho uma coleção impressionante de "roupas que dão testemunho" — camisetas e ornamentos com versículos bíblicos e citações marcantes. É fácil me acomodar com essas "realizações", uma boa reputação e todos os elogios que recebo das pessoas da igreja. "Ah, você é uma linda moça cristã! É tão bom ver jovens na igreja!"

Já senti a tentação de surfar na onda da reputação de "boa moça de Jesus" e não cultivar meu relacionamento com Cristo.

A verdade é que é fácil criar uma ilusão de cristianismo. Se você comprar uma camiseta cristã (quem sabe três ou quatro, e não se esqueça de incluir uma de um bom músico cristão), publicar versículos bíblicos no Facebook e Instagram, for à igreja toda semana, participar do grupo de jovens, conhecer o jargão cristão e acrescentar algumas oportunidades de voluntariado para criar uma boa imagem, está tudo certo. Sério mesmo.

No entanto, a ilusão não é verdadeira. Não tem profundidade, nem é duradoura. O cristianismo real é bruto e arenoso, cheio de lutas profundas e paixão sincera. Uma lista de coisas que fazemos e uma lista maior ainda de coisas que não fazemos nunca substituirão — nem podem fazê-lo — um relacionamento autêntico com Cristo. Isso apenas toca a superfície quando o que Deus realmente quer é nosso coração — e aquilo que nosso coração precisa de fato é de Deus. Ser um cristão perfeito pode alimentar nosso ego, mas ser seguidor de Jesus não tem a ver com alimentar o ego, mas, sim, com alimentar seu reino. Podemos até nos virar com nossa história de fachada, mas acabamos perdendo de vista o quadro mais amplo.

Tudo isso me lembra do Facebook. Sim, o Facebook.

Eu só tenho algumas centenas de amigos no Facebook. Patético, eu sei. Mas o mais maluco é que me considero *amiga íntima* de apenas umas dez dessas pessoas — das quais duas são minha mãe e minha irmã. Eu provavelmente conseguiria lhe explicar qual é minha relação com cada uma delas. Alguns casos serão: "Frequentamos o mesmo horário de culto na igreja"; outros: "Eles moram no fim da rua"; e uns poucos: "Não faço a menor ideia...".

Mas não *conheço* de verdade essas pessoas. Posso até saber qual é seu sabor preferido de sorvete ou o que fizeram no final de semana, mas não conheço suas lutas. Não sei quais são suas prioridades ou paixões. Não conheço o que se passa em seu coração.

E elas também não sabem tais coisas a meu respeito. Para muitos de nós, o relacionamento com Jesus é assim também.

Temos um relacionamento formal. Nós nos identificamos o bastante com Cristo para ir à igreja, ser voluntários, ler a Bíblia às vezes e orar quando precisamos de ajuda. Achamos que somos ótimas pessoas e, sem dúvida, isso nos faz merecer o título de "cristãos". Falamos que conhecemos a Deus, mas será que é verdade? Nosso relacionamento com ele é mais profundo que uma amizade superficial pelo Facebook? Jesus não se contenta com uma "curtida" indiferente, nem mesmo com um "coração" mais entusiasmado.

Assim como uma amizade necessita de mais do que uma mensagem ou curtida ocasional para prosperar, nosso relacionamento com Deus requer dedicação. É preciso esforço, sacrifício e tempo. Muitos de nós (eu mesma, às vezes) não dedicamos tempo ou esforço suficientes para buscar a Deus verdadeiramente. Nossa complacência no relacionamento é definida por nossa falta de dedicação.

Tudo se resume ao fato de que é fácil ser um cristão de carteirinha sem que isso de fato mude nossa vida.

Mas Jesus anseia por muito mais.

Precisamos conhecê-lo

Não somos a primeira geração a cair nesse problema. Muito antes da invenção do Facebook (aliás, cerca de dois mil anos antes), Jesus falou exatamente sobre isso.

Em Mateus 7.21-23, ele nos adverte:

> Nem todos que me chamam: "Senhor! Senhor!" entrarão no reino dos céus, mas apenas aqueles que, de fato, fazem a vontade de meu Pai, que está no céu. No dia do juízo, muitos me dirão: "Senhor! Senhor! Não profetizamos em teu nome, não expulsamos demônios em teu nome e não realizamos muitos milagres em teu nome?". Eu, porém, responderei: "Nunca os conheci. Afastem-se de mim, vocês que desobedecem à lei!".

Minha primeira impressão ao ler essa lista de realizações é: "Uau, eles estão de parabéns!". Veja só, profetizando e realizando milagres! Parece que estão tirando nota dez e seguindo a Jesus muito bem!

Mas Jesus está falando sério. Note que ele não diz: "Vocês não fizeram o bastante por mim", "Vocês não seguiram as regras culturais bem o bastante" ou "Vocês não parecem cristãos exemplares".

Ele disse que não os *conhecia*.

A palavra grega para "conhecer" nessa passagem é *ginōskō*.[1] Abrange uma ampla gama de conhecimento, incluindo percepção, compreensão e descoberta do que é verdade. Também significa conhecer por meio de experiência pessoal, em primeira mão. Não se trata apenas de conhecimento intelectual, nem de conhecimento transmitido, mas de uma intimidade em primeira mão proporcionada pela experiência pessoal.

Quando Jesus disse que não conhecia aquelas pessoas, estava afirmando que não conhecia o coração delas, pois jamais haviam se rendido a ele e a sua vontade. Jamais o buscaram com o único propósito de conhecê-lo. Fizeram coisas por ele, mas não o conheceram intimamente, tampouco ele as conhecia. Dean Inserra, pastor da City Church, explicou da seguinte forma essa questão:

> Jesus não estava falando sobre ateus, agnósticos, pluralistas ou humanistas seculares. Em vez disso, descrevia pessoas morais que realizavam bons atos religiosos em nome de Deus. A religião estava profundamente enraizada em sua rotina, e isso lhes dava plena confiança de que seus atos de justiça os preparava para receber uma grande recompensa no céu.[2]

Em nossa sociedade, provavelmente seriam o jovem prodígio no grupo da igreja ou o líder do louvor congregacional. Mas seus atos *por* Deus e seu relacionamento *com* Deus estavam em desequilíbrio.

Como nos parecemos com essas pessoas!

Nosso questionamento provavelmente seria mais ou menos assim: "Senhor, Senhor, eu não ia à igreja todo domingo? Não fui àquela viagem missionária com minha igreja? Não cumpri a meta de memorização da Bíblia do grupo de jovens? Não me mantive virgem até o casamento? Não me recusei a assistir a filmes para maiores de idade? Não fiz todas essas coisas? Nada disso conta?".

48 • PAIXÃO RADICAL

Até mesmo pessoas que não se consideram cristãs poderiam encontrar uma ótima defesa: "Senhor, Senhor, eu não ajudei os desabrigados em minha cidade? Não me recusei a roubar da empresa quando tive a oportunidade? Não ajudei e incentivei meus amigos? Não fui uma boa pessoa? Não fui melhor do que muitos outros? Nada disso conta?".

E, quem sabe, depois de recitar toda a lista, Deus suspiraria e diria: "Mas eu não conheci seu *coração*. Você nunca o deu para mim. Nunca me amou. Não como eu amo você".

O autor David Platt afirmou:

> Quando Jesus entrou em cena na história humana e começou a chamar seguidores, ele não disse: "Sigam determinadas regras. Observem regras específicas. Realizem deveres cerimoniais. Trilhem um caminho particular". Em vez disso, chamou: "Sigam-*me*". Com essa palavra simples, Jesus deixou claro que seu propósito principal não era instruir seus discípulos em uma religião predeterminada. Seu principal objetivo era convidar os discípulos a cultivar um relacionamento pessoal. [...] Esse chamado extremamente chocante e absolutamente revolucionário é a essência do que significa ser discípulo de Jesus: não somos convocados a simplesmente crer em certas doutrinas, ou a observar determinadas práticas, mas, em última instância, a nos apegar à pessoa de Cristo como à própria vida em si.[3]

O que Deus mais quer — mais que nossas listas, regras e tentativas de merecer a própria salvação — é nosso amor.

Seu amor importa

Ao longo do restante do livro, aprenderemos como seguir Jesus, servi-lo, aderir à obediência radical, despertar um compromisso por inteiro e viver totalmente por ele.

Antes, porém, que você leia mais qualquer palavra, preciso deixar algo bem claro.

Nada disso importa se não for motivado pelo amor.

Ouviu isso? Leia mais uma vez, devagar.

Nada disso importa se não for motivado pelo amor.

Não quero lhe dizer como ser o cristão perfeito. Não quero escrever um livro que o deixe com uma lista do que fazer.

Quero compartilhar o amor que explodiu em minha alma, e desejo que você também o vivencie.

Pois o grande cerne de tudo é que o amor a Deus é o mais importante. O amor a Deus é o que perdura.

Jesus nos diz que o primeiro e maior mandamento é: "Ame o Senhor, seu Deus, de todo o seu coração, de toda a sua alma e de toda a sua mente" (Mt 22.37). O amor é o primeiro mandamento e a primeira coisa que precisamos entender se queremos viver por Deus. Eu poderia escrever milhares de palavras tentando convencê-lo a servir a Deus e isso não fazer a menor diferença em seu relacionamento com ele. Somente quando você escolhe se entregar a Jesus e permitir que o amor dele por você o leve a despertar seu amor por ele é que o desejo de servir a Deus e viver por ele importará de fato.

Durante todos os meus anos de cristianismo, sempre senti que meu amor a Deus é profundamente inadequado. Porque é mesmo. Deus merece mais amor e adoração do que eu posso humanamente oferecer. Há momentos em que sinto mais amor e momentos em que tenho dificuldade de sentir qualquer coisa. Mas aprendi que meu relacionamento com Deus não pode ser motivado por sentimentos instáveis. Em vez disso, ele precisa se alicerçar na decisão intencional de me aproximar de Deus em obediência. O amor é uma escolha, assim como uma emoção. E, no que se refere a Deus, a escolha do amor catalisa a realidade do amor. Com frequência, damos preferência ao amor emocional a Deus, em detrimento do amor obediente, sentimentalizando excessivamente como nosso amor a ele deveria ser. Mas nossas emoções são inconstantes, mudam o tempo inteiro. Se permitirmos que elas ditem nossa percepção acerca de Deus, raramente será o Deus da Bíblia. Aprendi a buscá-lo mesmo quando não sinto vontade. Lembro-me do quanto ele me ama e de tudo que já ofereceu e sacrificou em meu favor. E peço ajuda para amá-lo mais, dizendo que nem sempre sinto vontade. Ele já sabe e não fica surpreso com minha fraqueza. E eu descobri que esse amor — e obediência e o ato de buscar Deus com afinco — é mais constante do que se eu esperar para buscar a Deus até tudo parecer perfeitamente alinhado. É por esse amor que oro, pedindo que eu busque a Deus independentemente do que aconteça. Acredito que tais orações honestas e vulneráveis o honram. São clamores desesperados de um coração humano finito e frágil que anseia por desejar sua santidade. Ao revisitar diários de oração antigos, leio minhas orações e meu coração se enche de gratidão por todas as respostas que já recebi. Nem sempre foram as respostas que eu queria, mas há uma oração que ele jamais deixou de responder: *Ajuda-me a amar-te mais*. Ao longo dos anos, tenho pedido em oração:

Jesus, a ti recorro pois em ti me escondo. Não sinto que te amo o bastante. Eu quero, mas nem sempre sei como fazer isso. Aproxima-me de ti.

Tu, Senhor, somente tu podes me satisfazer. Tenho vivenciado as águas profundas do teu amor, mas ainda assim corro atrás de outras fontes em busca de me saciar. Volta-me para ti. A ti eu digo sim, Senhor. Sim!

Ainda continuo a buscá-lo e a orar por mais amor. Acho que nunca vou parar, pois jamais terei o bastante. Quanto mais me concentro em seu amor por mim, mais desejo amá-lo. E quanto mais eu o amo, mais o busco e me foco em seu amor. Isso leva a um belo padrão incessante de buscar e encontrar, procurar e ser procurada.

Já me perguntaram e eu também já indaguei a mim mesma: "Como se apaixonar por Jesus?".

A resposta não é complicada e não há um programa aprofundado passo a passo que eu possa destacar. Em poucas palavras, é simplesmente assim: entregue-se ao amor de Cristo. Busque sua presença. Siga-o e obedeça a ele. Repita.

Ele transforma nosso coração à medida que o buscamos e nos entregamos a ele. É isso que queremos — transformação interna, em vez de religião externa. Sem o componente desse amor intencional e radical, nossos atos serão estéreis e superficiais. Você pode ter atos sem amor, mas é impossível ter amor verdadeiro sem atos.

Vale a pena

Uma parte de sua mente se rebela contra tudo isso? Você acha que buscar a Deus constantemente pode não valer a pena? Ou que dá trabalho demais?

Eu entendo. Você não está sozinho nesse pensamento. Mas gentilmente eu pergunto: você já experimentou o amor de Deus?

Essa caminhada não é fácil. Busca e obediência constantes nem sempre são divertidas. É uma disciplina que pode cobrar um alto preço. Mas depois de experimentar o amor de Jesus, você reconhece que vale a pena por completo. Sem ele, sempre haverá algo faltando em sua vida e você jamais estará plenamente satisfeito.

52 • PAIXÃO RADICAL

Tente. Eu o desafio a pedir a Deus mais de si e ver se ele não responde.

Lembra-se de quando eu disse que ainda faltava algo na vida de Bella e Meghan?

Era o amor a Deus. O amor puro e irrestrito que atrai você a um relacionamento mais profundo que as frases na camiseta que usa ou das músicas que escuta, das regras que segue e das coisas que evita fazer.

Se eu pudesse sentar para abrir meu coração com você e com aquelas meninas, o que eu teria para dizer seria o seguinte: vale a pena. O amor de Deus é profundo, amplo e tudo que você poderia desejar. Satisfaz sua alma e o deixa sedento por mais. Impele-o à ação e desperta um fogo em sua alma para servi-lo com tudo que há em seu interior.

Está pronto para ter uma experiência com Deus de maneira completamente nova? Deseja aprender mais sobre ele? Quer *conhecê-lo*? Real e verdadeiramente conhecê-lo?

Peça-lhe hoje mais da presença dele em sua vida. Busque-o em obediência por meio das Escrituras e peça-lhe que ajude você a amá-lo mais.

Ele *sempre* atende a essa oração.

Não sei quanto a você, mas eu quero muito mais que um Jesus de Facebook.

APROFUNDE-SE

1. Você conhece alguém como Bella ou Meghan? O que você percebeu na vida dessas pessoas? Consegue identificar algumas dessas mesmas características em sua vida?
2. Que atos superficiais você já praticou para sentir conexão com Deus?

3. De que forma prática você pode se render ao amor de Deus hoje (por exemplo, passar tempo de qualidade lendo a Bíblia ou orando)? Faça isso antes que o dia termine.

4. Seu coração se rebela contra o pensamento de buscar a Deus por completo? Por quê? Continue o desafio e peça a Deus que o ajude a amá-lo mais.

5. Quero dividir com você uma de minhas citações preferidas que se transformou em uma oração que eu repito diversas vezes. A. W. Tozer diz em seu livro *Em busca de Deus*:

> Ó Deus, tenho provado de tua bondade. Ela me satisfaz e me torna sedento por mais. Sou dolorosamente consciente de minha necessidade de mais graça. Envergonho-me de minha falta de desejo. Ó Deus trino, eu quero querer a ti. Anseio por ser envolto de anseio. Tenho sede de ser ainda mais sedento. Mostra-me tua glória, eu te peço, para que eu de fato te conheça. Começa em misericórdia uma nova obra de amor dentro de mim. Fala para minha alma: "Levanta-te, minha querida! Venha comigo". Então dá-me a graça de me levantar e te seguir do lamaçal úmido pelo qual peregrinei por tanto tempo.[4]

O que chama sua atenção nessa oração? Tenha ousadia suficiente para fazê-la e peça a Deus que o ajude a se apaixonar mais e mais por ele.

Parte 2

A MUDANÇA

4

Prepare-se para uma reforma

Ele fará uma reviravolta em sua vida

Você já assistiu àqueles programas de reforma que passam na TV?

Sabe, aquele tipo em que pegam uma casa velha e acabada e a transformam em um imóvel bonito e descolado? A reforma pode ser tão drástica que, às vezes, não dá nem para reconhecer o antes e depois.

Nunca fui muito fã desses programas. Talvez porque a ideia de observar outra pessoa trabalhar seja exaustiva ou quem sabe porque se aproxima demais da minha vida real. Minha família e eu praticamente refizemos a casa em que moramos. Desde erguê-la para construir um porão embaixo — estou falando sério! — até pintar por cima do tom horroroso de laranja que cobria as paredes, tirar a escada esquisita de metal e arrancar o piso velho de madeira. Foi uma obra imensa. Ao final, parecia que eu estava vivendo uma versão pessoal de um episódio do programa *Do velho ao novo* — com o bônus de músculos doloridos, madrugadas em claro e infindáveis visitas à loja de material de construção.

Nunca. Mais.

A despeito da minha aversão pessoal por reformas de casa, devo admitir que o resultado sempre é belo. Tenho o mais profundo respeito pelas pessoas que têm a capacidade de ver como algo *poderia ser*, em vez de enxergar meramente *como é*.

58 • PAIXÃO RADICAL

Espiritualmente falando, somos bem parecidos com essas construções detonadas, não é mesmo? Por conta própria, não temos muito para impressionar. Aliás, podemos ser desgastados e sujos. Nosso alicerce é inseguro e a fiação é toda bagunçada, com cupins e baratas vivendo nos cantos onde achamos que ninguém está vendo. Necessitamos desesperadamente de uma reforma. De algo novo e cheio de vida. Algo que limpe as partes feias do lado de dentro e conserte o que está caindo aos pedaços.

O melhor para nós é que aquilo que os *realities* de reforma fazem com casas, Deus faz com a alma. Ele enxerga o que *poderia ser*, em lugar do que *é*. Ele vê todos os nossos problemas e nossas dificuldades, mas tem uma visão melhor para nossa vida.

Ele nos reforma bela e radicalmente com seu amor. Neste capítulo, mostrarei como isso pode acontecer. Antes, porém, conheça Anna, uma moça drasticamente transformada por Deus.

De ateia a seguidora de Jesus

"Fui ateia por cinco anos, e não de forma passiva."

É assim que Anna, dezenove anos, se descreve. Após sair da igreja na qual crescera — um lugar cheio de regras e rituais — ela se dedicou a pesquisar toda e qualquer coisa que contestasse o cristianismo. "Era inimiga do reino de Deus e nem parava para pôr em xeque minhas convicções", recorda.

E estava funcionando bem, até o segundo ano do ensino médio. Após um transtorno alimentar e o término de um namoro, Anna chegou ao fundo do poço. De coração partido e com a autoimagem destruída, a mente estava em frangalhos, e a vida e os relacionamentos, um caos. Desesperada, tentou uma solução após a outra, correndo atrás das promessas oferecidas de felicidade e cura. Todas se mostravam vazias, e ela ficava se sentindo mais esgotada e desesperançosa do que antes.

"Eu estava pronta para abrir mão de tudo e me resignar a jamais encontrar aquilo pelo qual meu coração ansiava. Não conseguia me tirar do buraco no qual havia me afundado e, pela primeira vez na vida, comecei a dar espaço para pensamentos suicidas."

Mas Deus se manifestou.

Certo verão, ele trouxe uma moça chamada Kristen para a vida de Anna. Kristen era simpática, gentil, divertida, carinhosa — e cristã. Anna não entendia como Kristen gostava de passar tempo com ela, pois, toda vez que se encontravam, Anna fazia questão de deixar claro o quanto era contrária à fé da amiga, questionando-a com frequência e usando todos os argumentos em que conseguia pensar. "Mas sempre que eu a confrontava, ela não parava de defender aquele Deus dela. Não ficava confusa, nem parecia ter dúvidas. Eu ficava perplexa, mas, ao mesmo tempo, intrigada."

Kristen e sua família continuaram a procurar Anna e amá-la. Falavam abertamente de sua fé, mesmo que Anna fosse terminantemente contrária ao cristianismo. Pouco a pouco, as defesas de Anna ruíram e ela começou a se dar conta de que seus argumentos contra o cristianismo não tinham fundamento.

Curiosa, resolveu descobrir Deus por conta própria. Pegou a Bíblia que estava juntando poeira na estante por anos e começou a ler Eclesiastes. Ali encontrou exposto o caminho que ela havia trilhado pessoalmente — tentar de tudo e perceber que ainda faltava algo. Ela conhecia muito bem essa sensação. E agora sabia que Deus tinha uma resposta para isso: ele próprio! Anna continuou a leitura. Quando chegou ao Evangelho de João, o restante da casca que isolava seu coração rachou ao ler sobre um Salvador perfeitamente bom e amoroso. Anna escreveu posteriormente: "Vi um homem sofrer uma morte terrível por aqueles a quem ele amava. E tive a certeza de que Jesus Cristo era meu Salvador. Eu sabia que era ele que eu vinha procurando ao longo da vida inteira. Joguei-me em seus braços abertos". Depois disso, tudo mudou para Anna.

> Meus sonhos e planos mudaram, meu jeito de gerir o tempo, como eu me levanto, como organizo o dia, aonde vou à noite, o que faço no fim da tarde, com quem saio, o que falo, como sirvo minha família, como abordo as pessoas, como me visto, a frequência com que vou à igreja, como trabalho, o tipo de trabalho que faço, o que ouço, o que assisto, como enxergo minha carreira, toda minha moral, meus valores, meus desejos mais profundos, tudo mudou. *Tudo!*

Deus curou Anna naquele verão. Ela escreveu em seu testemunho:

> Ele inundou as rachaduras mais profundas de meu coração com calor, perdão e amor. Curou feridas que eu nem sabia que tinha. Curou anos de mágoa, solidão, raiva e insegurança. Eu já havia conhecido paixão, desejo e riso, mas jamais uma alegria tão profunda e rica — uma alegria que me traz lágrimas aos olhos e me deixa pronta para explodir de felicidade por dentro, uma alegria que virou minha vida de cabeça para baixo e mudou cada aspecto do meu dia a dia. Era alegria real. Era o *amor* de Deus.

Esse é nosso Deus. Nosso Deus transformador, amoroso e todo-poderoso. Ele pegou uma ateia e fez dela uma das seguidoras de Jesus mais apaixonadas que conheço. Ele nos cura e nos renova. E depois que cativa nosso coração, nunca mais voltamos a ser os mesmos.

Coração transformado, vida transformada

Você não precisa aderir ao ateísmo para que Deus o transforme.

Deus me mudou. Muito embora eu não tenha uma grande história de conversão e me considere cristã desde os cinco anos de idade, ainda assim sei que ele me transformou. Eu penso de maneira diferente, falo de maneira diferente e tenho prioridades diferentes. Olho para o mundo e ele não se parece comigo, nem eu com ele. Não digo isso para me gabar, nem para parecer perfeita. Estou bem longe disso. Deus me levou a um tipo diferente de jornada de transformação. Trata-se de uma jornada na qual, em vez de olhar para trás e ver quem eu era, posso olhar para trás e ver quem eu poderia ter sido. Sem Jesus, minha história de vida teria sido completamente diferente.

Não importa qual é sua história, o fato é que não dá para amar a Cristo de todo o coração e continuar igual. Quando você ama alguém, tudo muda.

Quando você ama a Deus com sinceridade, tem novo propósito e novos objetivos. Até mesmo coisas pequenas como seu grupo de amigos, o tipo de música que ouve e o que faz em seu tempo livre são alteradas. Por quê? Porque você se apaixonou e deseja agradar seu amado.

Essas mudanças são externas, mas as mudanças externas genuínas resultam de uma mudança interna genuína. Qualquer um pode encontrar novos amigos ou mudar de *playlist*, mas se colocarmos toda a ênfase nessas mudanças externas, sem reconhecer que elas são consequências naturais de um coração transformado, estaremos em desequilíbrio. É aí que entram em cena o legalismo e uma religião baseada em obras. É impossível forçar mudanças internas. Algo precisa ser o catalisador. Para os seguidores de Cristo, esse catalisador é nosso amor a Deus.

Inseguranças, prioridades, processos de pensamento, objetivos de vida, como gastamos nosso tempo e as coisas que amamos são produtos de nosso coração. Se nosso coração não mudar, nada mais mudará. Mas se nosso coração for transformado pelo amor de Deus, essas e tantas outras áreas serão alteradas. Depois que o coração muda, a vida inteira passa por uma transformação.

Deixe Deus calar fundo

Não sei dizer ao certo o que precisa mudar em sua vida. Isso é diferente para cada um, mas certas coisas são universais, como nossos pensamentos. Controlar o que permitimos que entre em nossa mente é uma batalha para todos. Sei que é para mim. Aquilo que penso importa para Deus, pois ele diz que desejos impuros se equiparam a adultério e o ódio equivale a assassinato. Além disso, o Senhor nos desafia a pensar em tudo que é verdadeiro, nobre e puro, e quer que levemos cativo todo pensamento (Mt 5.27-30; 1Jo 3.15; Fp 4.8; 2Co 10.4-6).

Também sei que ele deseja mudar nossa maneira de falar. Palavras que magoam, xingamentos, mentiras, negatividade e comentários sarcásticos são algumas das coisas que saem com regularidade de nossa boca, sem nem pararmos para pensar a esse respeito. Mas Deus nos diz que a língua tem poder de vida e morte, além de nos instruir a falar palavras boas, puras e edificantes (Pv 18.21; Ef 4.29; Tg 3.1-12).

Os relacionamentos também podem mudar drasticamente quando os colocamos sob o controle de Deus, desde como respeitamos os pais e as pessoas em posições de autoridade (como professores, patrões e governantes) até como reagimos ao sexo oposto. Os relacionamentos cultivados do jeito de Deus podem parecer extremamente diferentes de como funciona o mundo que nos rodeia. Em uma sociedade que não leva a sério o plano divino para o sexo, somos chamados a valorizar a pureza e a nos manter virgens até o casamento. Quando nossos colegas se rebelam contra figuras de autoridade, somos chamados a respeitar as pessoas acima de nós com nossa forma de falar com elas e sobre elas.

Deus nos diz que conheceremos os cristãos pelos frutos que manifestam em sua vida, ou seja, como falamos, agimos e nos relacionamos com as pessoas à nossa volta. Andamos e vivemos de maneira diferente porque seguimos um padrão bem diferente, que não pode ser encontrado no último sucesso de Hollywood ou na cultura como um todo, mas que está delineado com clareza na Palavra de Deus (Ef 4.21-32). O caminho de Deus é de pureza, integridade, humildade e amor. Mudanças assim são evidências, ou seja, frutos de um coração transformado pela salvação e pelo amor a Deus. A "grande mudança" da salvação é a catalisadora de todas as mudanças posteriores.

O que precisa ser reformado em sua vida? Caso esteja se perguntando como saber o que necessita ser mudado, tudo que precisa fazer é perguntar a Deus e examinar sua Palavra. O salmo 139 revela isso ao dizer: "Examina-me, ó Deus, e conhece meu coração; prova-me e vê meus pensamentos. Mostra-me se há em mim algo que te ofende" (v. 23-24).

Deus nos conhece melhor do que nós mesmos. Ele vê partes de nosso coração e de nossa vida que tentamos esconder dos outros ou até de nós mesmos. E é nesses lugares que ele deseja trabalhar de maneira especial. Salmos 19.12-14 diz: "Absolve-me das faltas que me são ocultas. [...] Que as palavras da minha boca e a meditação do meu coração sejam agradáveis a ti, Senhor, minha rocha e meu redentor!".

Convide intencionalmente Deus para sondar seu coração e sua vida, a fim de revelar áreas que precisam ser refeitas. Acredite, ele o fará. Lembro-me da manhã em que orei as palavras do salmo 139. Eu não esperava que Deus fosse de fato responder, mas levou apenas cerca de uma hora para ele me mostrar os padrões de pensamentos contrários à Bíblia e o orgulho em meu coração. Ai! E essa não foi a única ocasião. Desde meu jeito de me relacionar com meus pais e minha irmã, passando pelas escolhas de entretenimento que não edificam, até meu modo de falar com os outros, Deus está constantemente revelando áreas em minha vida que necessitam ser mudadas.

Não é fácil quando ele traz as coisas à tona, mas, à medida que somos reformados e renovados, nós nos aproximamos dele e nos tornamos uma imagem mais clara de quem ele é. Muitas vezes, ele traz problemas a nossa atenção por meio do tempo que passamos com ele, conforme oramos e nos aprofundamos em sua Palavra. Às vezes, ele nos leva a mudar por meio da orientação de outras pessoas. Pode doer ouvir alguém falar sobre o que está errado em nossa vida, mas, ao mesmo tempo, é extremamente útil nos ver da perspectiva de outra pessoa.

Temos um Deus prático, mão na massa. Ele quer que até as menores partes de quem somos o reflitam. Deixe-o escavar até o mais fundo de seu ser e entre com tudo no processo de mudança — mesmo que isso cause desconforto.

Não se contente com uma reforma incompleta

Se formos totalmente sinceros, o maior motivo para resistirmos à mudança é estarmos confortáveis com quem somos.

Eu me sinto confortável comigo mesma. Com meus pecadinhos e minhas pequenas rebeldias. Com aquilo que ninguém sabe, mas que não parece tão ruim assim. Às vezes, pego-me pensando: "Ah, é apenas um pouquinho de orgulho... Só um pensamento egocêntrico ou uma palavra rude".

É aí que entra a realidade. Muitos afirmam ser cristãos, enquanto vivem exatamente como não cristãos. Não há evidência de mudança de coração ou de vida em suas ações, atitudes, relacionamentos ou jeito de falar. Por quê? Porque a velha vida — o velho eu — não parece tão ruim assim. Porque estão confortáveis e familiarizados. "Por favor!", pensamos. "Mudar nas áreas grandes já basta. Com certeza é o suficiente para ser salvos. Deus não espera mesmo que alteremos toda nossa vida tanto assim, não é mesmo?"

Mas, veja, Deus não muda por nós. Somos nós que mudamos por ele. Deus não altera seus padrões para se encaixar em nosso estilo de vida. Nós é que alteramos nosso estilo de vida para pôr em prática seus padrões e nos tornarmos um reflexo de sua perfeição.

Você se lembra da ilustração que usei da reforma de uma casa? Ela também se aplica aqui. Não permitir que Deus atue profundamente para mudar até mesmo as partes secretas que não são "tão ruins" assim é como uma reforma incompleta. Apenas ser salvo significa que a propriedade da casa foi transferida para o nome de Deus. Mas ainda há muito trabalho a ser feito.

Amo a ilustração que C. S. Lewis criou no livro *Cristianismo puro e simples*. Ele definiu como Deus remodela nossa vida, usando também a analogia da reforma de uma casa para descrever como Deus não só limpa a bagunça, mas também nos transforma por completo. Lewis escreveu: "Você achava que seria transformado em uma cabaninha decente, mas Deus está construindo um palácio, pois tem a intenção de vir morar ele próprio ali dentro".[1]

Deus tem para nós uma visão maior do que a que temos para nós mesmos. Seu objetivo final é nos moldar à imagem de Cristo. Até isso acontecer (e só acontecerá de forma plena quando chegarmos ao céu), ele continuará trabalhando. Nós nos satisfazemos muito facilmente com uma transformação incompleta, pois não enxergamos o mesmo que ele. Deus enxerga o que poderia ser e não se contenta com menos. Por isso, nesse meio-tempo, por mais doloroso que seja, ele continua a mexer com nossos velhos hábitos e nossas antigas práticas.

Orgulho — jogado ao chão. Egoísmo e foco no eu — arrancados. Inveja, ciúmes e amargura — cinzelados. Pensamentos impuros — destruídos. Raiva — esmagada. Desejos impuros — estilhaçados.

A cada mudança, Deus se aprofunda, removendo o que está sujo e substituindo por sua limpeza profunda. Começamos a nos parecer menos conosco e mais com ele — puros, amorosos, cheios de graça, bondosos. Revelamos a imagem indelével de nosso renovador e nos tornamos testemunhos de sua graça. É por isso que ele persiste em nos aperfeiçoar. Nossa vida transformada é um farol que faz o amor de Deus brilhar para que todos vejam. O conhecido evangelista Billy Graham disse certa vez: "Ser cristão é mais do que uma conversão instantânea. Trata-se de um processo diário por meio do qual nos tornamos cada vez mais semelhantes a Cristo".[2]

De rebelde a missionário

Só Deus é capaz de transformar um ladrão e mentiroso obstinado que tinha, de acordo com a própria descrição, um "comportamento mau" e "espírito impenitente"[3] em um missionário.

Mas foi exatamente isso que ele fez em George Müller.

Aos dez anos de idade, George roubava dinheiro do pai. Aos catorze, estava envolvido em jogos de azar e se embriagava com regularidade.

Mas Deus tinha planos para George. Em 1825, quando George tinha vinte anos, um amigo o convidou para um culto de oração e, naquela noite, tudo mudou. Ele disse posteriormente: "Não tenho dúvidas [...] de que ele começou a obra da graça em mim. Muito embora eu tivesse pouquíssimo conhecimento acerca de quem Deus verdadeiramente era, aquela noite foi o ponto de virada em minha vida".[4]

E que virada ele deu. George parou de beber, deixou os jogos de azar, largou as mentiras e os furtos. Decidiu então ser missionário. Abriu orfanatos e cuidou de mais de dez mil crianças ao longo de muitos anos de serviço. Fundou 117 escolas cristãs, dando a 120 mil crianças a oportunidade de obter uma educação formal. Contudo, talvez o mais impressionante acerca desse homem seja o fato de nunca ter pedido auxílio financeiro. Ele simplesmente orava e Deus respondia. Quer orasse para Deus fornecer café da manhã para os órfãos quando não havia comida em casa, quer pedisse provisão financeira, quer apenas rogasse a Deus que mudasse o tempo para que não fosse impedido de ir pregar em algum lugar, sua fé jamais vacilou. Certa vez, ele disse: "Conheço o Senhor há mais de cinquenta anos e jamais houve um dia em que não consegui uma audiência com o Rei".[5] Sua vida impactou milhares, e seu testemunho e suas obras continuam a desafiar e encorajar pessoas hoje.

Vez após vez, Deus tem realizado obras de transformação na vida de seus seguidores. Inúmeros indivíduos têm sido drasticamente mudados ao conhecerem a Cristo.

68 • PAIXÃO RADICAL

Desde a ateia determinada a contestar o cristianismo à jovem com problemas de identidade.

Desde o adolescente preso em ciclos destrutivos ao idoso que finalmente encontra paz em seu leito de morte.

O Deus a quem servimos é mestre em mudar nossa vida, alterar radicalmente nossa perspectiva, nos dar esperança e nos amar incessantemente, a despeito do que fizemos. Ele se encontra conosco onde estamos e diz que jamais nos afastamos demais. Ele transforma caos em mensagem, fracasso em conquista, excluídos em filhos de Deus. Ele transformou Paulo, perseguidor dos cristãos, em líder da igreja do Novo Testamento. Pegou a mulher samaritana, excluída da sociedade, e fez dela testemunha de Cristo. Deu nova vida e nova esperança à mulher apanhada em adultério quando a perdoou e a instruiu a ir e não pecar mais.

Ele cria beleza a partir da fragmentação e plenitude a partir de pedaços estilhaçados. Muda nosso modo de vida, pois não somos deste mundo e temos um chamado superior: ser portadores da imagem de Cristo.

Você está disposto a deixá-lo operar em você? Deixá-lo mudar sua perspectiva e seu estilo de vida? Deixá-lo mudar você, mesmo que seja difícil?

Somos todos imóveis meio acabados. Os *reality shows* de reforma mudam casas; Deus muda vidas.

Pessoas como Anna e George. Pessoas como você e eu.

A única pergunta é: você está pronto para uma reforma?

APROFUNDE-SE

1. Você se identifica com a analogia da reforma de casas? Que partes de sua vida estão "quebradas e sujas", necessitando de reforma?

2. Você se identifica com as histórias de Anna e George? Que parte das histórias deles mais lhe chamou atenção?

3. Como você acha que Deus pode mudar você e as partes quebradas de sua vida? Você já pensou que havia ido longe demais? Acredita nisso agora? Por quê?

4. Olhe para trás em sua experiência de vida. Consegue identificar áreas que Deus transformou? Em caso afirmativo, que áreas são essas e como as mudanças aconteceram?

5. Você está disposto a deixar Deus entrar e transformar sua vida? Convide-o a fazer isso agora mesmo.

5

Sem *wi-fi* grátis

Deixe de lado suas zonas de conforto

A porta dupla se fechou atrás dela. Amanda respirou fundo, abalada, e então seguiu o guarda pelo corredor sujo. Não são muitas as jovens de dezesseis anos que escolhem voluntariamente entrar em uma prisão.

Mas não são muitas as jovens de dezesseis anos com os mesmos motivos que minha irmã tinha.

Nossa mãe havia começado um ministério para as mulheres da penitenciária local alguns meses antes. Acompanhada de algumas outras mulheres de nossa igreja, ela ia até lá com o intuito de ministrar e partilhar o evangelho com as detentas. Davam lições bíblicas, passavam filmes cristãos, distribuíam Bíblias e oravam com as mulheres.

Amanda sentiu o desejo de participar à medida que as semanas se passavam. Queria conhecer as mulheres que Deus estava buscando e fazer parte da história que se desenvolvia por trás dos muros da prisão.

Ela sabia que não seria fácil.

Conforme chegava o dia de participar pela primeira vez, dúvidas começaram a se infiltrar em sua mente.

"Como será isso? Como as detentas me receberão — eu, uma adolescente? E os guardas?"

Ao caminhar por aquele corredor, ela adentrou um mundo diferente. Um mundo sem liberdade, no qual até mesmo os itens mais comuns são procurados como tesouros. Um mundo afastado da família, dos amigos e de tudo que é conhecido, no qual uniformes alaranjados são o estilo único e a privacidade não existe. Um mundo que necessita desesperadamente de Jesus.

Foi por isso que minha irmã entrou nesse mundo.

Ainda assim, não era fácil. Os ataques espirituais antes de cada encontro tornavam a experiência difícil e dolorosa. Ser revistada pelos guardas a cada entrada e saída causava estranhamento e desconforto. Não ver nenhum resultado real na vida das mulheres provocava desânimo.

A zona de conforto de Amanda parecia a quilômetros de distância.

Até aqui, no livro, conversamos sobre como nos apaixonar por Jesus e permitir que ele mude nossa vida. Neste capítulo, abordaremos em detalhes como seguir a Jesus, mesmo quando é desconfortável.

Pois o amor às vezes leva a lugares difíceis.

Aversão ao desconforto

Nosso mundo não se interessa muito pelo desconforto. Pense nisso. Das propagandas que anunciam a mais nova invenção extraordinária, destinada a transformar nossa vida, até o *wi-fi* gratuito disponível em todos os restaurantes e centros de compras, estamos em uma cultura que busca facilidade e conforto. Falando sério, o que nós faríamos sem *wi-fi* de graça?

Essas pequenas propensões à facilidade nos revelam muito sobre como abordamos as grandes questões da vida. Não é nossa tendência natural escolher a estrada que apresenta mais dificuldades, mas, sim, a que parece mais bem trafegada e familiar. A pressão de grupo e as expectativas são parte disso. Por que fazer algo diferente, se podemos nos camuflar e fazer o que todos os outros estão fazendo? Por que escolher o difícil se há uma opção fácil disponível? Por que passar desconforto, se isso não é necessário?

Entendo muito bem esse sentimento. Fazer coisas diferentes e assustadoras é extremamente difícil para mim. Prefiro ficar em meu pequeno círculo de conforto, onde tudo é familiar e tranquilo. Nem saberia lhe dizer quantas vezes já senti náusea com medo e ansiedade, por causa de algo que eu precisava fazer, mas não queria. Coisas grandes ou pequenas, não importa. Se não se encaixava em minha zona de conforto, eu não queria ter nada a ver com aquilo.

Mas toda vez que ouvi a voz de Deus e entrei em uma situação desconfortável (preciso admitir que, em algumas vezes, eu me acovardei e fugi) descobri algo belo fora de minha zona de conforto. Ao encarar meus medos, tornei-me mais ousada e corajosa.

Ainda mais importante, tive a certeza de que Deus me fortaleceu para as tarefas a minha frente. Sei que ele entendia o quanto algumas coisas eram difíceis para mim e, em sua graça, me concedeu força para realizá-las. Eu me aproximei mais de Jesus fora de minha zona de conforto do que jamais consegui dentro dela.

E é isso que importa de verdade.

Aprendi que minha zona de conforto pode parecer segura, mas, na verdade, é uma prisão que me impede de seguir plenamente a Cristo. Arrependo-me dos muitos momentos em que disse não para Deus quando ele me pediu para fazer algo difícil. Questiono-me sobre o impacto que essas oportunidades poderiam ter causado se eu tão somente tivesse dito sim e seguido em frente, com medo ou não. Há situações em que acabei fazendo concessões pois parecia mais fácil seguir a multidão, e me pergunto que tipo de exemplo eu poderia ter dado se tivesse demonstrado a ousadia necessária para ser diferente.

Não quero mais sentir arrependimento e fazer concessões equivocadas. Mesmo que isso signifique sentir medo e desconforto. Seguir a Jesus *significa* sentir desconforto. Mas acredito, de todo o coração, que vale a pena.

Minha oração agora mesmo é que Deus nos dê coragem para segui-lo, a despeito dos desconfortos. Jesus nunca disse que segui-lo seria compatível com a zona de conforto. Apenas afirmou que estaria ao nosso lado.

Quatro desconfortos que enfrentaremos

Todos têm uma zona de conforto diferente e um nível de coragem diferente. Todos somos únicos em nossos pontos fortes e fracos. Aquilo que é fácil para alguns, pode ser aterrorizante para outros. Não se sinta inferior se achar assustadoras coisas aparentemente pequenas. E não se sinta superior se achar fáceis coisas difíceis ou intimidantes. A coragem não tem tamanho único.

Seja lá o que você considere fácil ou difícil, há quatro coisas desconfortáveis que todos enfrentaremos. Os detalhes podem variar, mas os princípios e as motivações permanecem iguais. Analisemos agora as diferentes situações desconfortáveis para as quais Deus pode nos chamar, e procuremos entender, na prática, como seguir em frente mesmo quando sentimos medo.

1. Contracultural = contra confortável

Nós, seguidores de Deus, não devemos andar em sincronia com o mundo. Não podemos aceitar tudo aquilo que o mundo aplaude e aprova sem nem questionar. Práticas como aborto, sexo antes do casamento, *bullying*, linguagem vulgar, vícios,

74 • PAIXÃO RADICAL

desejos impuros e pornografia são, todas elas, diretamente contrárias à natureza divina.

Jesus inverte a maneira de pensar do mundo e vira nosso pensamento de cabeça para baixo. Já não nos encaixamos no mundo, porque não somos mais do mundo. No livro *Jesus Freaks*, o grupo de *rock* DC Talk afirmou:

> Desde o início de seu ministério público, Jesus deixou bem claro: *"Eu vim para mudar o mundo"*. Ele veio para mudar o modo de pensar das pessoas. Veio para revolucionar o paradigma delas — como enxergavam o mundo e como haviam confortavelmente se acomodado nele, seguindo os próprios desejos, ignorando as pessoas ao redor que necessitavam de ajuda e achando que esse era o jeito certo de viver, já que todos à volta estavam fazendo basicamente a mesma coisa. [...] Jesus veio para confortar os aflitos, mas também para afligir os confortáveis.[1]

Escolher uma vida contracultural é garantia absoluta de desconforto. Nadar contra a correnteza nunca é fácil. Dirigir na contramão nunca é seguro. Defender crenças diferentes em uma sociedade liberal, posicionar-se em prol da verdade quando impostores são aceitos, escolher amar quando todos os outros espalham ódio e lutar pela verdade do evangelho não são decisões confortáveis.

Mas você não pode alegar que ama Jesus e continuar vivendo segundo os padrões do mundo. É impossível se encaixar quando aquilo que dirige sua vida o chama a se levantar e, muitas vezes, a fazê-lo sozinho.

2. Posicione-se

A empolgação pairava no ar com a aproximação do lançamento de um filme. O livro no qual o longa-metragem se baseava era extremamente popular (sobretudo em meio a garotas adolescentes) e, embora eu não tivesse lido, minha amiga Taylor não parava de tecer os maiores elogios. "É meu preferido, sem sombra de dúvida", explicou certa vez, enquanto estava em minha casa. "Você *precisa* ler! Mal posso esperar pelo filme!" Ela me mostrou o *trailer* no celular. Parecia bom. Muito bom.

Planejamos ir assistir juntas com minha irmã, Amanda, e algumas outras meninas quando finalmente estreou no cinema de nossa cidade. Eu mal podia esperar. Um encontro de amigas com um bom filme e *pizza* depois — não haveria programa melhor do que esse, não é mesmo?

Mas todos os nossos planos foram por água abaixo certa tarde, faltando poucos dias para a saída. Minha irmã chegou do trabalho com más notícias. Ela havia pesquisado sobre o filme e o livro durante o intervalo e descobriu pontos perturbadores no enredo e ideologias que confrontavam clara e diretamente com nossas convicções bíblicas.

Agora tínhamos uma decisão a tomar. Deveríamos nos livrar do compromisso inventando uma boa desculpa? Ou falar a verdade e explicar por que não nos sentíamos confortáveis em assistir?

Acabamos escolhendo a segunda opção. Ligamos para Taylor e compartilhamos nossos motivos para não assistir ao filme. Pense em uma ligação constrangedora.

Nosso relacionamento com ela jamais voltou a ser o mesmo. Amanda e eu tentamos manter contato e não mudamos em nada nossa atitude em relação a ela, mas, pouco a pouco, Taylor se afastou.

Posicionar-se é difícil — mesmo com algo tão pequeno quanto um filme. É preciso coragem, determinação e confiança em suas convicções para permanecer forte enquanto todos os outros sucumbem à pressão.

E, às vezes, posicionar-se significa ficar sozinho. Para o estudante de ensino médio que permaneceu sozinho junto ao mastro da bandeira durante o dia global de oração estudantil, isso aconteceu de maneira literal. Ao observar que ninguém mais havia comparecido, Hayden pensou que simplesmente aguardaria orando enquanto os outros chegavam. Quando percebeu que ninguém mais iria, sua oração passou a ser: "Senhor, enquanto as pessoas passam de carro por aqui, leve-as a se questionarem, incomode o coração delas. Faça algo com minha presença solitária neste lugar". Foi preciso coragem para não ir embora, para permanecer em pé sozinho e orar fielmente. Mas ele ficou firme.[2]

Não importa a situação, posicionar-se cobra um preço. Você talvez perca amigos. Talvez se torne objeto de zombaria e constrangimento. Talvez se sinta desconfortável. Sua família pode não compreendê-lo, seus amigos e colegas de trabalho podem insultá-lo.

É raro ser aplaudido por se posicionar em prol de suas crenças. Mas você ganha respeito e dá um exemplo para os outros seguirem. A tração da pressão de grupo é tão forte porque raras vezes ela é interrompida. Há muitos outros que sentem o mesmo incômodo, mas não sabem como sair do molde. Depois que você se posiciona, outros podem segui-lo. Mesmo, porém, que isso não aconteça, pode ter a certeza de que Deus se agrada com sua obediência.

Sim, pode ser bem constrangedor e desconfortável quando todos os seus amigos resolvem ceder e assistir àquele filme, ir àquela festa, desobedecer aos pais, tratar mal o aluno novo e *você não os acompanha*. Mas é nessas pequenas escolhas que acontece o crescimento, e cada momento desconfortável valerá a pena. Pois você nunca sabe o que precisará enfrentar no futuro — e pode ser algo bem maior do que deixar de assistir a um filme.

3. Escolha a integridade

Certa vez, ouvi que integridade é quando a vida secreta e particular está alinhada com a vida pública. Em outras palavras, é não viver uma vida dupla, não agir de um jeito quando as pessoas estão olhando mas dar uma virada radical quando está sozinho.

A integridade leva você a dizer a verdade, mesmo que ela o leve a ser mal visto. Ela o impulsiona a se posicionar e falar, mesmo que ficar em silêncio pudesse proteger sua reputação e seu conforto. Viver de maneira íntegra dia após dia faz você valorizar mais a Palavra de Deus do que o próprio conforto.

A Bíblia diz: "A integridade dos justos os guia, mas a falsidade dos infiéis os destrói" (Pv 11.3, NVI). Também declara: "Se forem fiéis nas pequenas coisas, também o serão nas grandes. Mas, se forem desonestos nas pequenas coisas, também o serão nas maiores" (Lc 16.10).

Escolher integridade raramente diz respeito a coisas grandiosas. Em vez disso, trata-se de enganos que não consideramos grandes: mentir, colar na prova, ocultar algo, agir de determinado modo, ou alguma coisa que falamos, pensamos ou fazemos. Deus pode ser a única testemunha, mas a pressão e o que está em jogo aumentam quando outros estão observando. De todo modo, tudo se resume a quanto valorizamos a opinião divina. É o bastante para fazer a coisa certa? Ou a ignoramos e dizemos para nós mesmos que Deus nos perdoará de qualquer maneira? Integridade é escolher a obediência aos caminhos de Deus, independentemente de quem está olhando e do preço a ser pago, simplesmente porque é agradável a ele.

4. Fale aos outros

Posso ser bem franca? Uma das coisas mais difíceis e desconfortáveis para mim é falar de Deus aos outros. Sempre fui mais tímida e introvertida. Prefiro ficar em casa e ler um livro a sair e conversar com as pessoas. Precisei superar isso e aprender como falar aos outros sobre o amor de Deus, pois ninguém muda o mundo, nem conduz pessoas a Cristo ficando dentro das quatro paredes da própria zona de conforto.

Nem saberia enumerar quantas vezes eu já disse não para momentos em que Deus me chamou (literalmente) para sair de minha zona de conforto. Um ímpeto em meu coração sussurrava: "Vá orar com aquela pessoa. Partilhe o evangelho com ela, ela está precisando de esperança. Entre em contato e diga que você se importa. Diga que a ama. Convide-a para ir à igreja". Meu coração acelerava, as palmas das mãos suavam frio e os joelhos tremiam. Então eu começava a me dissuadir daquela convicção. Embora a mensagem divina fosse clara, meu medo era ainda mais claro. Eu não queria parecer estranha, nem me sentir constrangida. Vez após vez, dava ouvidos às mentiras e dizia não. E acabava perdendo a oportunidade. Essa ainda é uma luta para mim, pois quero ser obediente. Não quero mais perder a chance de fazer o que Deus manda, nem permanecer no lado de dentro, onde é mais seguro.

Jesus nos manda ser uma cidade sobre o monte. Ele ordena que saiamos e salguemos a terra com seu amor (Mt 5.13-16). Mas muitos escondem a luz debaixo de um cesto. O que poderia acontecer se corrêssemos o risco? Jamais houve um reavivamento em um grupo de cristãos com medo demasiado de pregar o evangelho.

Mesmo que os joelhos tremam, sejamos ousados o bastante para dar um passo à frente, aproveitar a oportunidade e ser a luz e o amor de Jesus a um mundo que necessita desesperadamente de ambas as coisas.

Três maneiras de superar o desconforto

Agora que já abordamos algumas das coisas desconfortáveis que podemos enfrentar na vida cristã, vamos refletir em três coisas que podemos fazer para nos ajudar a ter coragem, quando deparamos com tais situações.

1. Ore

Sei que parece clichê, mas a oração é mesmo nossa maior arma contra o medo. Deus compreende nossos temores e (veja só!) quer que o busquemos quando nos sentimos amedrontados. Creio que Deus pode usar nossos medos para nos aproximar dele. Quando você se sente desconfortável e assustado, converse com ele sobre seus temores, peça que a paz divina inunde sua alma e clame por coragem para fazer o que ele colocou à sua frente.

2. Leia e cite as Escrituras

A Bíblia é cheia de ordens para não temermos. Aqui estão alguns exemplos:

> Não tenha medo, pois estou com você;
> não desanime, pois sou o seu Deus.
> Eu o fortalecerei e o ajudarei;
> com minha vitoriosa mão direita o sustentarei.

Isaías 41.10

Não vivam preocupados com coisa alguma; em vez disso, orem a Deus pedindo aquilo de que precisam e agradecendo-lhe por tudo que ele já fez. Então vocês experimentarão a paz de Deus, que excede todo entendimento e que guardará seu coração e sua mente em Cristo Jesus.

Filipenses 4.6-7

Esta é minha ordem: Seja forte e corajoso! Não tenha medo nem desanime, pois o SENHOR, seu Deus, estará com você por onde você andar.

Josué 1.9

Pois Deus não nos deu um Espírito que produz temor e covardia, mas sim que nos dá poder, amor e autocontrole.

2Timóteo 1.7

A mensagem é clara: não tema. Seja forte.

Note que Deus não diz: "Supere seu medo! Por que você é tão fraco?". Ele conhece nossas fraquezas, mas promete superá-las com a força dele. Nosso chamado é para depender de sua força e nos firmar em suas promessas, até quando — *especialmente quando* — sentimos medo e desconforto.

3. Dê um passo de fé

Tudo acaba se resumindo a dar o primeiro passo de fé. Se esperarmos até que todos os nossos temores cessem, aguardaremos muito tempo. Deus nos encontra com sua paz quando, mesmo com medo, damos o primeiro passo.

É pisando fora de nossa zona de conforto que a obediência radical acontece. Somos ousados o bastante para declarar que seguiremos a Deus aonde quer que ele nos mande ir, mesmo que não conheçamos o destino? Ele não o revela antes de fazermos o compromisso. Apenas diz: "Confie em mim".

Se ele o chamar para se posicionar sozinho, você se posiciona. Se ele o mandar dizer a verdade, você abre a boca. Se ele ordenar que você supere seu medo e ligue para um amigo a fim de orar por ele, você pega o telefone. Se ele o chamar para ser um missionário em outro continente, você compra a passagem de avião. Se ele o chamar para lutar contra o aborto, você o faz. Se o cutucar para se sentar ao lado do aluno novo na escola, você escolhe a cadeira do lado dele.

Talvez você não entenda o porquê, nem o como, mas Deus compreende e tudo que ele pede é que você se mostre disposto a dar o próximo passo, por mais difícil que seja, por maior que seja o preço. Até aqui, apenas arranhamos a superfície do que significa sair da zona de conforto, mas chegou a hora de ir mais fundo.

Fé como a dos mártires

Jesus disse: "Se alguém quer ser meu seguidor, negue a si mesmo, tome sua cruz e siga-me. Se tentar se apegar à sua vida, a perderá. Mas, se abrir mão de sua vida por minha causa e por causa das boas-novas, a salvará" (Mc 8.34-35).

Ao falar isso, Jesus tinha plena consciência da morte que sofreria na cruz, mas as pessoas que o ouviram não o sabiam. Ao aconselhar aqueles a seu redor a tomar a cruz, ele os desafiou a segui-lo até o monte onde daria a própria vida. Pediu-lhes que os seguissem em *todos* os aspectos, a qualquer custo, até o ponto de sofrer *por ele* a mesma morte que ele morreria *por eles*.

Não sei se algum de nós precisará tomar uma decisão tão radical e literalmente entregar a própria vida por Cristo. Mas sei, sem sombra de dúvida, que fomos chamados a viver por ele. E viver por ele por completo implica negar a si mesmo.

Significa sacrificar nossa vontade — nossos confortos — e pregá-la na cruz.

A fim de deixar a zona de conforto, primeiro precisamos deixá-la de lado, crucificá-la e, em troca, pegar a cruz do autossacrifício.

Certa noite, há pouco tempo, eu estava lendo a história de pessoas que foram martirizadas por Cristo. A força e a fé que esses indivíduos tiveram em meio a tortura horrenda e impensável são, ao mesmo tempo, inspiradoras e perturbadoras. Eu não conseguia compreender plenamente seus atos de coragem. O medo me encheu o coração ao imaginar o que haviam enfrentado e me perguntei: "Teria eu a mesma força se estivesse na situação deles?".

Gostaria de dizer, de todo o coração, que sim. Mas tudo que posso fazer é orar: "Jesus, dá-me tua força!".

Mais cedo, naquele mesmo dia, eu havia clamado: "Senhor, inflama meu coração com paixão por ti". E percebi que é assim que começa, com o desejo de conhecer a Deus e amá-lo, seguido do compromisso de segui-lo além de nossa zona de conforto, por mais trêmulo que seja esse compromisso. E, à medida que prosseguirmos, nossa paixão crescerá.

Reconheço que, em comparação com esses mártires, meus sacrifícios são ridiculamente pequenos. Admito que os exemplos deste capítulo são pequenos passos para fora de nossa zona de conforto. Mas ser fiel nos pequenos sacrifícios é importante também. Jamais estaremos dispostos a entregar a vida por Cristo se não nos mostrarmos dispostos a abrir mão do conforto — mesmo que isso pareça um pequeno sacrifício diante do quadro mais amplo.

Se é preciso ficar desconfortável, que assim seja.

Se for necessário seguir a Deus rumo ao desconhecido, eu o seguirei com as palavras: "Senhor, ajuda-me!".

Se triturar minha zona de conforto é o necessário para me aproximar do Salvador, que ela fique em pedacinhos.

Estou 100% dentro.

APROFUNDE-SE

1. Qual é a coisa mais difícil que você já fez fora de sua zona de conforto? O que aprendeu com isso?

2. Qual das coisas desconfortáveis você acha mais difícil? Viver de maneira contracultural, posicionar-se, escolher a integridade ou falar aos outros? Por quê?

3. Há alguma luta pessoal em sua vida que lhe traz ansiedade? Por que é difícil para você superá-la? De que forma prática você pode começar a ir além hoje?

4. Quais são seus versículos bíblicos preferidos sobre o medo? Escolha dois e memorize-os até o final da semana.

5. Você acha que teria forças para seguir a Cristo a ponto de morrer por ele? Por que sim ou por que não? Separe alguns minutos agora mesmo e ore pedindo coragem e força para seguir a Cristo por onde quer que ele o conduza ao longo desta semana. Procure oportunidades de ir além de sua zona de conforto e ser fiel nessa prática.

6

Tudo quer dizer *tudo*

Entregue-se por completo

Jim Elliot poderia ter qualquer coisa que quisesse.

Querido e respeitado entre os colegas de faculdade, era bonito e talentoso, de sorriso largo, senso de humor afiado e dotado de um charme despretensioso. Além de ser um dos melhores lutadores do *campus* universitário, tinha o dom do teatro e de falar em público. Suas opiniões não convencionais e convicções radicais, além da ousadia em compartilhá-las, aliadas a suas habilidades extraordinárias de oratória, o tornavam particularmente inesquecível. Não dava para conhecer Jim Elliot e não reconhecer que havia algo distintamente diferente nesse universitário de Oregon.

Todavia, nada disso importava para ele. Jim tinha um único objetivo de vida. Apenas um propósito.

Viver para Cristo e lhe dar glória.

O sonho de Jim era ir para o Equador pregar o evangelho. Repito, seu propósito era resoluto e seu objetivo, muito simples: glorificar a Deus e falar de Jesus Cristo.

E ele estava disposto a dar tudo para que esse objetivo se cumprisse. "Senhor, eu te peço", escreveu em seu diário em 1948, "acende esses gravetos ociosos de minha vida para que eu queime por ti. Consome minha vida, meu Deus, pois ela é tua. Não busco uma vida longa, mas uma vida plena, como a tua, Senhor Jesus."[1]

Após planejar, sonhar e vivenciar um adiamento após o outro, Jim finalmente embarcou para o Equador em 4 de fevereiro de 1952. Ele tinha 24 anos de idade. Depois de passar cinco meses e meio na capital do país, Quito, aprendendo o idioma e convivendo com missionários locais, partiu para o posto missionário em Shandia, uma pequena vila no meio da floresta equatorial. Mas Jim tinha um desejo ainda mais audacioso: ir aonde o evangelho nunca fora proclamado, a um povo inalcançado. Queria pregar à tribo *huaorani*, também conhecida como índios *aucas*, povo conhecido pela violência, que morava no coração da selva equatoriana. Jim afirmou certa vez: "A vontade de Deus sempre é maior do que aquilo que tentamos barganhar".[2] No caso da tentativa de alcançar o povo *huaorani* com o amor de Cristo, nada poderia ser mais verdadeiro.

Após anos de preparo, aprendendo o máximo possível da língua *huaorani* e tentando fazer amizade com os índios ao jogar presentes de avião, chegou o momento de embarcar na Operação Auca. Jim e quatro outros jovens — Nate Saint, Ed McCully, Pete Fleming e Roger Youderian — decidiram que havia chegado o momento de conhecer face a face os índios *huaorani*s. Eles sabiam dos riscos. Nenhum forasteiro era bem-vindo em território *huaorani*. Mas seu amor pelo evangelho era grande demais para abrir mão da oportunidade de partilhá-lo. Jim disse à esposa, Elisabeth, antes de partir: "Se Deus assim o quiser [...] estou pronto para morrer pela salvação dos *aucas*".[3]

Na segunda-feira, 2 de janeiro de 1956, os cinco partiram, incertos quanto ao que encontrariam, mas cheios de fervor pelo Senhor no coração. Na sexta, "Jim sentiu a maior emoção de sua vida. Deu as mãos a um índio *auca*".[4] Ao narrar a experiência, Elisabeth escreveu posteriormente: "Dois dias depois, no domingo, 8 de janeiro de 1956, os homens por quem Jim Elliot havia orado durante seis anos mataram Jim e seus quatro companheiros".[5]

Cinco jovens. Um evangelho. Uma paixão.

E uma perda devastadora.

Elisabeth escreveu na biografia de Jim:

O objetivo de Jim era conhecer a Deus. Seu caminho, a obediência, era o único capaz de levar ao cumprimento desse objetivo. Seu fim foi o que alguns chamaram de morte extraordinária, embora, ao enfrentar a morte, ele tenha silenciosamente demonstrado que muitos morreram por obediência a Deus. [...] Seria, afinal, tão grande a diferença entre viver por Cristo e morrer por ele? O segundo ato não seria a conclusão lógica do primeiro? Além disso, viver por Deus é morrer diariamente, como explicou o apóstolo Paulo. É perder tudo a fim de que possamos ganhar Cristo. Assim, ao entregar nossa vida é que a encontramos.[6]

Para Jim, Nate, Ed, Pete e Roger, não havia privilégio maior do que entregar a própria vida por algo maior. Afinal, foi Jim quem escreveu a célebre frase: "Não é insensato aquele que dá o que não pode reter para ganhar o que não pode perder".[7]

De fato, eles deram tudo.

Talvez, porém, a despeito do sacrifício, eles tenham ganhado mais.

Você ama o bastante para dar *tudo*?

Jim Elliot é um de meus heróis. Tudo na vida dele me desafia e inspira. A forma como ele morreu, sim, porém ainda mais a maneira como viveu. Dedicado. Comprometido. Entregue.

Ele abriu mão do tempo para servir a Deus. Abriu mão de recursos e energia para pregar o evangelho. Por cinco longos e difíceis anos, Jim até mesmo adiou o casamento com sua amada, Elisabeth, pois sentia que Deus o estava chamando para viver como missionário solteiro. Verdadeiramente, ele tinha um único objetivo: obedecer a Deus e compartilhar o amor de Cristo. Estava disposto a sacrificar qualquer coisa que atrapalhasse esse alvo.

Ao ler seus diários e suas orações, eu me pergunto: "Estaria eu disposta a abrir mão de tanto? Amo Jesus desse jeito? Amo-o o bastante para dar *tudo*?".

Oro a Deus para que sim. Mas sei que falho.

Como conversamos no último capítulo, Jesus ordenou a obediência radical em Marcos 8.34-37, ao afirmar:

> Se alguém quer ser meu seguidor, negue a si mesmo, tome sua cruz e siga-me. Se tentar se apegar à sua vida, a perderá. Mas, se abrir mão de sua vida por minha causa e por causa das boas-novas, a salvará. Que vantagem há em ganhar o mundo inteiro, mas perder a vida? E o que daria o homem em troca de sua vida?

Isso mostra que não existe seguidor complacente de Cristo. Ou você o segue, ou não. Ou você vive para si mesmo, ou vive para Deus. Não existe seguidor de Cristo "mais ou menos". Não há espaço em cima do muro.

Nem todo seguidor de Jesus é chamado para morrer fisicamente por ele. Mas todos somos chamados para morrer para nós mesmos — para nossos pecados e nosso velho estilo de vida. Paulo escreveu: "Fui crucificado com Cristo; assim, já não sou eu quem vive, mas Cristo vive em mim" (Gl 2.20).

Muitas vezes, nós nos contentamos em fazer as coisas pela metade para Deus. Sei que eu já agi assim em mais situações do que consigo me lembrar. Pensamos: "Ok, o Senhor pode ficar com esta parte de minha vida e com aquela área também, mas não ouse mexer nestas outras coisas. Não me peça para mudar isto ou desistir daquilo!". Apegamo-nos a padrões pecaminosos e velhos hábitos. Somos teimosos e ferrenhamente rebeldes.

88 • PAIXÃO RADICAL

Pouco tempo atrás, li um artigo que transformou minha perspectiva sobre entrega. Nele, o autor escreveu:

Olhamos para Jesus e dizemos: "Senhor, não há nada que eu não faria por ti. Eu morreria por ti!". Mas creio que Jesus responde mostrando lugares em nossa vida e dizendo: "Sim, você está disposto a morrer por mim... Mas está disposto a deixar isto morrer *em* você?". [...] No mesmo instante em que bradamos: "Deus, eu quero mais de ti!", ele olha para trás e declara: "Não, sou *eu* que quero mais de *você*!".[8]

Pare um minuto e pense um pouco. Consegue identificar alguma área de sua vida que você está receoso de entregar a Deus? Receoso do que ele fará ou como pedirá que você mude? Receoso de que, se permitir que ele seja Senhor de tudo, talvez acabe eliminando algo que você ame?

Você não está sozinho. Muitas vezes, já senti medo das coisas das quais ele pedirá que eu abra mão.

Meus sonhos? Minha escrita? Minha esperança de encontrar um marido e formar uma família?

Sinto medo do que ele pedirá que eu faça.

Mudar para longe? Ser missionária? Abrir mão de minha vida?

Fico muito assustada de abrir as mãos e abdicar de meus temores e sonhos. Já pensei, lá no fundo do coração: "Se eu entregar isso, ele tirará de mim. Preciso me apegar com toda firmeza".

Mas entenda, nada disso é verdade. Não podemos nos apegar, por mais que tentemos segurar partes da vida dentro da mão fechada. Deus não nos pede que nos entreguemos para ser descortês ou impor seu poder. Se ele nos pede que abramos mão de algo, ele o faz com amor. Ele sabe que é algo que nos impede de ter um relacionamento mais próximo com ele, um pecado em nossa vida ou que não permite que tenhamos algo melhor. Deus não pega nossa entrega para jogá-la de volta bem na nossa cara.

Entrega e sacrifício são coisas boas porque Deus é bom.

Um sacrifício aceitável

Quantas vezes abordamos o tema de sacrifício e entrega com a mentalidade do tipo "quanto (esforço, tempo, devoção etc.) eu *preciso* dedicar" em lugar de pensar "quanto eu tenho a *oportunidade* de dar"?

Abra a Bíblia no início de Gênesis e você encontrará o exemplo de um sacrifício tão radical, tão puro e tão completamente dedicado que é até difícil compreender.

Abraão orou por décadas pedindo um filho. Quando Deus finalmente o abençoou com uma criança, Abraão mal pôde acreditar no pedido seguinte que o Senhor lhe fez: "Tome seu filho, seu único filho, Isaque, a quem você tanto ama, e vá à terra de Moriá. Lá, em um dos montes que eu lhe mostrarei, ofereça-o como holocausto" (Gn 22.2).

Antes de se enredar em uma argumentação mental acerca da validade de um sacrifício humano, note algo: Deus pediu o que havia de mais importante na vida de Abraão. Algo que Deus lhe dera de maneira milagrosa: seu único filho. Isaque representava tudo o que Abraão amava e com o que se importava, sua única esperança para o futuro. E Deus estava lhe pedindo que abrisse mão disso?

A maioria abanaria a cabeça e diria: "De jeito nenhum!". Mas não é isso que vemos Abraão fazer. Em vez disso, ele "se levantou cedo e preparou seu jumento. Levou consigo [...] seu

90 • PAIXÃO RADICAL

filho Isaque. Cortou lenha para o fogo do holocausto e partiu para o lugar que Deus tinha indicado" (Gn 22.3).

Espere um pouquinho. Ele ia mesmo adiante com aquilo? Não consigo nem imaginar a dor no coração de Abraão. Quase posso ouvi-lo suplicando a Deus: "Por favor, meu filho não! Por favor, qualquer outra coisa! Minha vida. Tire minha vida. Mas poupe o meu filho. Encontre outra maneira. Por quê? Por que estás me testando, Senhor? Por que me pedes isso? Ainda assim, eu obedecerei. Eu te seguirei".

Eles subiram ao monte. Mas Isaque estava confuso. "Pai, onde está o cordeiro para o holocausto?"

O coração de Abraão se partiu. Ele fez uma pausa. "Meu filho, Deus proverá."

Eles seguiram em frente, até chegar ao lugar. Construíram o altar e Isaque foi colocado nele, assim como Deus havia ordenado. Crescia a tensão, o ar cada vez mais denso e sufocante. Até que, no último minuto, Deus enviou um anjo — e um carneiro. "Abraão! Não faça nada com ele. Agora eu sei que você teme a Deus, pois não reteve de mim seu filho, seu único filho" (Gn 22.11-13, paráfrase da autora).

Isaque foi poupado. Deus providenciou. E Abraão demonstrou que estava disposto a dar tudo a Deus — mesmo quem ele mais amava.

Talvez você esteja se perguntando: "O que Isaque, Abraão e sacrifícios humanos perturbadores têm a ver comigo?".

É verdade que não oferecemos mais sacrifícios a Deus como no Antigo Testamento. (Deus, aliás, proíbe sacrifícios humanos; confira Dt 18.10.) Mas esses sacrifícios eram mais do que atos físicos. Representavam sacrifícios mais profundos. Provas e verdades mais profundas. Coisas que nós também somos chamados a abdicar e entregar a Deus — nosso melhor, nossa vontade, nossos amores, nossa vida.

O que você mais valoriza? O que é seu "Isaque"? Se Deus lhe pedisse, você estaria disposto a abrir mão e entregar? Se ele chamasse, você o seguiria?

É um relacionamento? Ou um sonho acariciado, mas que Deus diz: "Isso não é o melhor para você"? É o descontentamento em relação a quem você é, pois não está na posição em que gostaria? É um mau hábito que você sabe que não é correto, mas acaba recaindo nele assim mesmo? É o uso das redes sociais, que o distrai da comunhão com Deus? Ou quem sabe os tipos de entretenimento que você escolhe?

De que você acha que não consegue abrir mão? De uma pessoa? Um *hobby*? Sua zona de conforto?

O que você acha que seria radical demais? Ceder seu tempo para servir a Deus? Ler a Bíblia todos os dias? Parar de assistir à televisão, a fim de ter tempo para orar? Mudar-se para o outro lado do país — ou mesmo do mundo — para ser missionário? Trancar a faculdade por um ano para ser missionário voluntário?

De que você acha que seria incompreensível e impensável abrir mão? Que parte da vida você está segurando firme nas próprias mãos? Que parte de tudo é excluída?

E se Deus lhe pedisse que abrisse mão disso?

Não sei se ele o fará, mas tenho a certeza de que ele pede nosso tudo, independentemente do que isso inclua. O objetivo não é abrir mão de algo com a mera finalidade de nos privar. Em vez disso, trata-se de avaliar nossa vida, para ver se há ídolos ocultos, ou temores enraizados que colocamos acima de Deus. Tudo — até mesmo uma coisa boa — pode se tornar um ídolo ou espaço para concessões indevidas. Às vezes, são questões tangíveis, como um relacionamento prejudicial, um bem ao qual nos apegamos, um estilo de vida que sabemos não ser puro. Em outras circunstâncias, são intangíveis, como um medo que nos limita a vida, uma insegurança que nos coloca para baixo ou uma mentira na qual acreditamos. Nem sempre são as áreas grandes que Deus requer. São as pequenas coisas às quais nos agarramos com maior intensidade. Com frequência, porém, essas pequenas áreas que parecem sem importância nos impedem de viver por completo para Deus.

Para mim, houve alguns sacrifícios bem pequenos, mas que não deixam de ser sacrifícios.

Deixei de me relacionar de maneira casual com o sexo oposto, pois quero servir a Deus enquanto solteira e creio que os relacionamentos devem ser levados a sério. Precisei entregar a Deus meu medo de ficar solteira para sempre e, às vezes, a esperança e o sonho de me relacionar com algum rapaz em específico. Já disse a Deus: "É o Senhor que escolhe!", quando meu coração queria desesperadamente escolher por conta própria. Já passei sextas-feiras à noite sozinha, já respondi vez após vez à bem-intencionada pergunta: "Não, não estou namorando", já vi moças à minha volta com seus namorados e inúmeras atualizações de *status* no Facebook. Parece um pequeno sacrifício, mas tem sido um sacrifício mesmo assim — por vezes doloroso. Mas escolho fazê-lo porque quero honrar meu futuro marido e me concentrar em Deus até que ele traga a pessoa certa para minha vida.

Já abri mão de algumas amizades, pois estavam trilhando um caminho que eu não queria seguir. Já fui esnobada, ignorada e deixada sozinha enquanto algumas meninas que eu conhecia fingiam que eu não estava ali. Para me encaixar naquele grupinho, eu precisaria fazer concessões, dizer e praticar coisas que são contrárias àquilo que, acredito, Deus quer que eu faça. Mas Deus significa mais para mim do que o preço de ficar sozinha em uma festa ou reunião.

Há dois lados para o sacrifício genuíno: entrega interna e ações externas. Cada uma das coisas que Deus me chamou a sacrificar começou no coração. Ele as trouxe à tona por meio do tempo dedicado à Bíblia e à oração. Então eu tinha escolhas reais e práticas a fazer.

Abrir mão do controle começa com uma atitude do coração e uma mentalidade de submissão, mas não para por aí. A disposição para se entregar é a base de nossos atos de entrega. O sacrifício sem ação não é sacrifício nenhum. Por exemplo, seria contraditório entregar a Deus o uso das redes sociais e as escolhas de entretenimento e então assistir a um filme que não honra a Deus na noite seguinte. Da mesma maneira, se eu disser a Deus que estou entregando a ele minha vida amorosa, mas depois sair com um rapaz não cristão, meus atos não estarão em harmonia com a atitude do coração. É impossível uma mentalidade de entrega coexistir com uma demonstração externa de controle.

Eu não tenho como lhe dar um mapa pessoal de entrega, mas sei que Deus pode fazê-lo. Pergunte a ele com honestidade: "O que tem me afastado de ti, Senhor? O que preciso sacrificar para me aproximar de ti?". Entregue o controle, as chaves de sua vida, e então ouça o convite divino à ação. Quando ele chamar, atenda. Não espere se sentir pronto para a entrega antes de dar o próximo passo em seu plano de ação. Entrega e sacrifício não são sentimentos, mas, sim, escolhas diárias de obediência a Deus. Como no caso de Abraão, entrega e sacrifício reais são revelados em nossos atos, mesmo que eles sejam difíceis e dolorosos. Quando nos comprometemos com o Senhor, nós nos

94 · PAIXÃO RADICAL

determinamos a fazer o que ele pedir, a ir aonde ele mandar e, quando chegar o momento de agir, daremos um passo de confiança e fé.

Calcule o preço

Em Lucas 14, Jesus contou duas parábolas — uma sobre um construtor e outra sobre um rei. Na primeira, o construtor estava fazendo uma torre, mas não calculou quanto ela custaria e só teve dinheiro para lançar os alicerces. A segunda história fala de um rei que saiu para guerrear, mas não calculou o tamanho do exército rival e, a fim de poupar seus homens, em número extremamente inferior, precisou se render e pedir paz antes mesmo que a batalha começasse. Que construtor não calcula o preço da torre que pretende construir antes de começar? De igual maneira, que rei vai à guerra sem levar em conta a força de seus inimigos? Qual é a mensagem nesses dois exemplos?

Calcule o preço.

Calcule o preço que precisa ser pago antes de começar, ou correrá o risco de não terminar. Seguir a Jesus cobra um preço. Sempre há um preço a ser pago. Às vezes, o custo é elevado — pode ser sua vida. Em outras ocasiões, coisas menores, mas não menos importantes, precisam ser oferecidas. Parece radical? Ouça as palavras do próprio Jesus: "Ninguém pode se tornar meu discípulo sem abrir mão de tudo que possui" (Lc 14.33). Deixe-me perguntar mais uma vez: o que Deus está chamando você a entregar?

Para ser franca, não tenho tudo isso resolvido ainda. Não digo essas coisas como se fosse fácil. Não é nada fácil. Minha luta é diária.

Mas agradeço a Jesus por me santificar todos os dias, por me convencer do pecado e oferecer graça sobre graça. Oro para me entregar mais hoje do que ontem. E tenho a esperança de que amanhã estarei mais entregue do que hoje. E mais ainda: oro para que ele enxergue em mim, a despeito de minhas falhas e defeitos, um coração que diga: "Sim, Senhor, eu me rendo".

Podemos entregar tudo, porque Deus *é* tudo.

É hora de calcular o preço.

Não se contente com uma entrega pela metade.

APROFUNDE-SE

1. O que chamou sua atenção na história de Jim Elliot?
2. O que chamou sua atenção na história de Abraão e Isaque (por exemplo, a atitude no coração de Abraão, o nível de obediência)?
3. Leia Filipenses 3.7-8. O que, em sua opinião, significa o fato de que ao abrir mão de algo (uma coisa, atitude, mentalidade ou estilo de vida) você está na verdade ganhando Alguém (Deus)? Isso é verdade? Por que você acha que valeria a pena?
4. O que, a seu ver, Deus está pedindo que você entregue? Como você pode lhe obedecer por completo?
5. Você está disposto a dar tudo de si? Por que sim ou por que não? Como tem lutado com isso? Converse com Deus e peça forças a ele.

Parte 3

O DESAFIO

7

O grito de guerra

Você está no combate de sua vida

"Senhor, o que há de errado comigo?", pensei, enquanto tentava desesperadamente colocar a mente de volta nos trilhos.

Eu me desliguei da passagem que estava lendo em Marcos e, como se um interruptor tivesse sido ligado, distrações começaram a bombardear meu coração. Tudo em que eu vinha refletindo foi jogado pela janela e substituído pela sensação de estresse. Minha mente se encheu de pensamentos em relação à enorme lista de coisas para fazer ao longo do dia, como eu estava atrasada em tudo, quanto tempo vinha desperdiçando nos últimos tempos e até cenas do filme ao qual eu havia assistido com minha família na noite anterior. Frustrada, forcei-me a me concentrar na passagem à minha frente, mas meus pensamentos já estavam girando a um milhão de quilômetros por hora, a concentração destruída.

Foi então que percebi. Era como a parábola do semeador que lança as sementes, que eu havia acabado de ler. Mais do que um simples caso de distração, era um ataque direto para me afastar do caminho de aprender a verdade de Deus. Sementes haviam sido lançadas em meu coração e o diabo não estava feliz com isso. Por isso, tentou devorar as sementes antes que elas criassem raízes (Mc 4.4).

Aprendi esta importante verdade: o inimigo fará qualquer coisa para nos distrair de nos aproximarmos de Cristo.

Não foi um acontecimento incomum. Na verdade, estou mais familiarizada com isso do que gostaria de admitir. Mas Satanás é especialista em usar coisas pequenas e corriqueiras para nos distrair de Deus. Você pode ter passado por momentos semelhantes em sua vida. Talvez até mesmo agora, enquanto lê este livro. Você sente convicção em seu relacionamento com Cristo, as sementes são lançadas e o amor começa a florescer. Você começa a agir, até que — *bum!* Sua mente é ofuscada por distrações, tentações, motivos para não se importar e para achar que se aproximar de Deus dá trabalho demais. As concessões começam a se infiltrar. Mentiras invadem o coração. Você fica desanimado, desgastado e exausto. "As coisas não deveriam se tornar mais fáceis?", você se pergunta. Então, acaba desistindo. Para de tentar. E as sementes são devoradas pelo inimigo das almas.

Temos um adversário muito real. Satanás é inimigo de Deus e de seus filhos. Logo, também é nosso inimigo, juntamente com os demônios que o seguem. Eles estão à espreita para nos derrotar, sobretudo enquanto somos jovens. E em especial quando começamos a levar a sério nosso relacionamento com Deus.

Você é um alvo.

Não tenho a intenção de assustá-lo, mas preciso lhe advertir, para que você esteja preparado e compreenda que há uma batalha à nossa frente. No instante em que você entrega a vida a Cristo, cruza uma linha. Sai do arraial de Satanás para o arraial de Deus. Recebe a marca do nome "cristão" e todos que possuem esse nome se tornam alvos, pois nosso inimigo é perseverante. Ele não deixa os seguidores de Cristo em paz. Vai atrás deles, tentando seduzi-los para cada vez mais perto da linha divisora, a fim de encher sua vida de tristeza, tentação e dor. Há por aí tantos cristãos mornos e seguidores descompromissados porque as sementes lançadas no coração deles são jogadas fora (Mc 4.7), se secam (Mc 4.6) ou são roubadas (Mc 4.4).

Um de meus livros preferidos, *Cartas de um diabo a seu aprendiz*, de C. S. Lewis, ilustra essa questão de maneira poderosa. O livro registra a correspondência entre Maldanado, um demônio experiente, e seu sobrinho Vermelindo, acerca do jovem que Vermelindo tem a missão de afastar de Deus (o Inimigo, conforme o chamam) e aproximá-lo de Satanás (Nosso Pai das Profundezas). Trata-se de uma leitura reveladora acerca de como Satanás trabalha para nos distrair, tentar e afastar de Cristo.

Por exemplo, Maldanado aconselha Vermelindo a não conquistar o jovem com argumentos, mas simplesmente confundi-lo o bastante para não saber em que acredita, apenas que não é em Deus. Ele conta sobre o momento em que um de seus "pacientes", um ateu convicto, começou a duvidar de suas crenças.

> Certo dia, enquanto lia, vi uma cadeia de pensamentos na sua mente começando a tomar o caminho errado. É claro que o Inimigo estava ao lado dele nessa hora. Num piscar de olhos, vi meu trabalho de vinte anos começar a ruir. Se eu tivesse perdido a cabeça e começado a tentar me defender com base na argumentação, talvez tivesse sido derrotado. Mas não fui tão tolo assim. Imediatamente, ataquei a parte do homem que tinha mais sob controle e lhe sugeri que já estava quase na hora do almoço. [...] Hoje, ele está seguro na casa do Nosso Pai.[1]

Embora *Cartas de um diabo a seu aprendiz* seja uma obra ficcional, as verdades que ela compartilha não são fruto da imaginação. Temos um inimigo real, e a missão dele é derrotar os seguidores de Deus. Suas armas variam de distrações a

102 • PAIXÃO RADICAL

pressão de grupo, de tentações a mentiras, de coisas enraizadas no ocultismo e forças demoníacas à simples sugestão de que está na hora de almoçar (só para citar algumas estratégias). Ele ataca nossos pontos fracos, e cada arma que empunha é mentirosa. Precisamos ser sábios, cheios de discernimento e cientes dessa batalha que travamos. Sem consciência, não teremos condições de combatê-la.

Caro adolescente, aqui está seu plano de batalha

Todo guerreiro necessita de um plano de batalha. O nosso se encontra nas Escrituras. Deus nos revelou diversas maneiras poderosas e eficazes de resistir aos ataques do inimigo por meio do poder de Cristo. Vejamos quatro estratégias práticas de batalha que glorificam a Deus e põem Satanás para correr.

1. Entenda seu inimigo

Não sei qual é seu histórico com esses conceitos. Algumas igrejas nunca falam sobre Satanás, demônios ou o inferno. Tentam fingir que nada disso existe porque são temas desconfortáveis e assustadores. Talvez essa seja a primeira vez que você está ouvindo sobre como Satanás trabalha. Em contrapartida, algumas igrejas e denominações exageram e falam constantemente sobre o diabo. Creio que é preciso haver equilíbrio a esse respeito. O mundo é sombrio, por isso precisamos entender sobre Satanás. É importante reconhecer que as trevas e os demônios são reais, mas, no fim das contas, é fundamental garantir que nosso foco supremo esteja em Cristo.

Se esse for um assunto novo e levemente incômodo para você, por favor, entenda que não precisa ser assim. Sim, Satanás é real e usa métodos poderosos. Ele domina boa parte de nosso mundo. Mas Deus é ainda mais poderoso do que todos os poderes do diabo. Por isso, por mais que tente, Satanás não pode vencer. Eu sei quem ganhará a batalha, pois já li o fim da história (Ap 20—22). Deus é o vencedor. Satanás é derrotado.

Por já conhecermos o fim da história é que Satanás tenta nos derrotar. Ele sabe que não pode vencer, mas busca sabotar os planos de Deus o máximo possível. Ele conhece nosso potencial e o poder do chamado divino em nossa vida. Assim, seu objetivo é arruinar nosso futuro e o impacto que exerceremos.

Satanás é o pai da mentira (Jo 8.44); logo, mentir é uma de suas armas mais fortes. Ele tenta nos confundir e degradar a verdade de Deus. Basta pensar em como ele enganou Eva no jardim do Éden. Ele questionou a verdade de Deus: "Deus realmente disse que vocês não devem comer do fruto de nenhuma das árvores do jardim?" (Gn 3.1). Em seguida, reduziu ainda mais as palavras de Deus e proferiu mentiras e meias-verdades ao declarar: "É claro que vocês não morrerão!" (Gn 3.4).

A questão acerca das táticas de Satanás é que ele não tem nenhuma tática nova. Pode até não nos tentar a morder uma fruta hoje, mas usa os mesmos padrões, vez após vez: questionar Deus, tentar nos confundir e nos colocar em dúvida, sussurrar mentiras, degradar a verdade, enlamear a água, misturar só um pouquinho de mal com bem, aumentar a dose pouco a pouco, até o bem se perder no mal e a luz ser sufocada pelas trevas. Ao entender essas táticas, estaremos menos propensos a cair nelas.

2. Concentre-se em Cristo

Certa vez, ouvi a frase: "Não seja um termômetro. Seja um termostato". O termômetro mede a temperatura e as condições de onde se encontra. Consegue identificar o clima, mas não faz nada para mudar a atmosfera. O termostato, em contrapartida,

104 • PAIXÃO RADICAL

lê as condições e coloca em ação as forças necessárias para ajustar a temperatura.

Há cristãos demais que vivem como termômetros. Sentem o mal no mundo e podem até perceber que o diabo os está atacando, mas, em vez de partir para a ofensiva, apenas "leem o ambiente". Entendem Satanás, mas não pegam as armas que Deus lhes dá para contra-atacar e convidar Cristo para entrar e assumir o controle da atmosfera espiritual.

Quando nos focamos em Cristo, empunhamos as armas que ele providencia. O louvor é uma das formas mais belas de fixar os olhos em Deus e uma das armas mais poderosas contra Satanás! O inimigo não consegue resistir aos louvores puros do povo de Deus. Quando louvamos a Deus a despeito das circunstâncias, cadeias se rompem, fortalezas são derrubadas, muros são destruídos e exércitos, derrotados. Pense em Paulo e Silas louvando a Deus na prisão (At 16.25-26). Josafá liderou o exército louvando na batalha (2Cr 20.15-24). Os israelitas louvaram até derrubarem as muralhas de Jericó, em obediência a Deus (Js 6).

A oração é outra maneira poderosa de se concentrar em Cristo. O escritor Samuel Chadwick disse: "Não há nada que Satanás tema mais do que a oração. Sua única ocupação é impedir os santos de orar. Ele não teme em nada estudos sem oração, obras sem oração, religião sem oração. Ele ri de nossos esforços, zomba de nossa sabedoria, mas treme quando oramos".[2] A oração é mais poderosa do que reconhecemos. Ao orar, entramos na sala do trono de Deus, ao mesmo tempo que também pisamos no campo de batalha. Vez após vez na Bíblia, encontramos provas de preces respondidas. Quando Daniel se dispôs a orar e jejuar por três semanas, Deus lhe mandou um anjo e as orações de Daniel duraram o tempo exato da luta do anjo contra as forças do mal que o atrasaram (Dn 10.1-14). Elias orou com fervor por sete vezes, pedindo a Deus que pusesse fim à seca que assolava Israel e, na sétima vez, o Senhor mandou chuva (1Rs 18.41-45). E Tiago nos explica: "A oração de um justo tem grande poder e produz grandes resultados" (Tg 5.16).

Para ser um forte guerreiro no reino de Deus, primeiro precisamos mergulhar na presença divina. O foco em Cristo nos dá uma perspectiva diferente. É verdade que a opressão de Satanás às vezes pode parecer sufocante e dominadora, mas a boa notícia é que nós, seguidores de Jesus, não precisamos sucumbir a ela. Quando nos concentramos em Deus, entendemos de repente que "a batalha não é sua, mas de Deus" (2Cr 20.15).

3. Envolva o coração na verdade

Vamos voltar no tempo, para dois mil anos atrás. Quarenta dias e quarenta noites haviam se passado. Sem comida. Sem companhia. Ao redor, nada além do deserto. Quando Deus se fez carne, Jesus suportou essa pressão, mas como ser humano, estava fraco.

O diabo entrou em cena com zombaria e truques, cheio de palavras escorregadias. Tinha total consciência da humanidade de Cristo e planejava usá-la para difamar sua divindade. Consegue ouvir as palavras do inimigo? "Se você é o Filho de Deus, ordene que estas pedras se transformem em pães" (Mt 4.3).

Aproxime-se de onde Jesus estava. Como ele combateu esse ataque? Em três palavras, com a verdade. "As Escrituras dizem: 'Uma pessoa não vive só de pão, mas de toda palavra que vem da boca de Deus'" (Mt 4.4).

106 • PAIXÃO RADICAL

O inimigo atacou três vezes. Nas três, Jesus contra-atacou com a Bíblia, usando estas três palavrinhas: "As Escrituras dizem".

As Escrituras são poderosas e cheias de verdade. O diabo ataca com mentiras. Mentiras sobre nossa identidade, nosso valor, nosso propósito. Mentiras sobre teologia, o propósito do cristianismo e até mesmo sobre o amor de Deus por nós. Ele sussurra enganos, pega a verdade e a distorce até que ela deixe de ser verdadeira, mas disfarçada o bastante para acreditarmos. Ele até mesmo repetiu as palavras do próprio Jesus e citou as Escrituras para o Filho de Deus (Mt 4.6).

Mas Jesus não caiu nessas artimanhas. Ele estava cheio da verdade de Deus, e nem mesmo as meias-verdades disfarçadas do diabo conseguiriam enganá-lo.

Se quisermos ter a chance de discernir a verdade em meio às mentiras, é assim que precisamos ser — cheios da Palavra de Deus. Oro com frequência: "Senhor, conduze-me no conhecimento da verdade" (2Tm 3.7). Enquanto oro, porém, sei que também devo investigar a Palavra, pedir olhos compreensivos e um espírito de sabedoria (Ef 1.17-18).

Hebreus 4.12 diz: "Pois a palavra de Deus é viva e poderosa. É mais cortante que qualquer espada de dois gumes, penetrando entre a alma e o espírito, entre a junta e a medula, e trazendo à luz até os pensamentos e desejos mais íntimos". A fim de discernir a verdade, precisamos nos firmar na Palavra de Deus e avaliar todas as coisas à luz de suas páginas. No entanto, para fazê-lo, devemos estar familiarizados com ela. Assim como uma pessoa habilidosa em esgrima ou luta com espada não enfrentaria um inimigo com uma arma desconhecida, não podemos recorrer à Palavra de Deus somente quando dela precisarmos; caso contrário, agiremos de forma desajeitada e sem familiaridade com nossa espada espiritual.

Ao passo que o diabo é habilidoso em mentiras, Deus é habilidoso na verdade. Quando Satanás tentar alimentá-lo com mentiras, pegue a Bíblia e substitua essas mentiras pela verdade que Deus lhe deixou. Podemos segurá-la nas mãos e proferir com a boca palavras de poder imensurável, sem precedentes.

4. Seja submisso a Deus

Tiago 4.7 nos diz: "Portanto, submetam-se a Deus. Resistam ao diabo, e ele fugirá de vocês".

Com frequência, ao analisar esse versículo, pulamos direto para a parte de resistir ao diabo. Mas resistência sem submissão é inútil. Com as próprias forças, não temos poder algum para resistir ao diabo. Precisamos primeiro estar equipados com o poder do Espírito Santo, sujeitando-nos a Deus.

A submissão a Deus significa abrir mão da própria vontade e nos render à dele. É aquietar o coração e passar tempo com o Senhor. É deixar que ele opere uma transformação em nossa alma, torcendo, mudando e nos moldando mais a sua semelhança. É se aproximar de Deus, pois, conforme Tiago nos diz no versículo seguinte: "Aproximem-se de Deus, e ele se aproximará de vocês. Lavem as mãos, [...] purifiquem o coração" (4.8).

Esses são os métodos mais poderosos para derrotar o inimigo, pois atingem o cerne do que ele está tentando destruir: nosso relacionamento com Deus. Quanto mais fortes somos em Cristo, mais cercados somos pela proteção de sua presença. Lutar contra o inimigo às vezes se parece muito menos com luta e muito mais com simplesmente ficar em silêncio e absorver a presença de Deus. Entregar-se a sua vontade.

Aproximar-se de seu coração e se apaixonar cada vez mais por Cristo, orar com fervor e sem cessar. É isso que Satanás tenta destruir, pois é exatamente o que o leva a fugir.

Vista sua armadura, adolescente

Jamais sofri mais ataques espirituais do que enquanto escrevia este livro. Só consigo descrever como *dolorosos* os primeiros meses de escrita. Minha mente foi bombardeada por dúvidas e temores, enquanto Satanás me atacava com mentiras.

"Você não é escritora! Vai parecer boba."

"Você não consegue escrever um livro inteiro! Por que não desiste e deixa uma tarefa dessas para os profissionais?"

"Você parece hipócrita. Por que as pessoas deveriam acreditar em você se sua vida é uma confusão só?"

Foi por causa dessas mentiras que minha mãe me encontrou soluçando em posição fetal no chão do porão de casa. É por isso que eu ficava acordada à noite, assolada por dúvidas e insegurança. Foi por isso que acordei cheia de ansiedade e gritei para minha irmã que não achava que seria capaz de fazer isso. Foi por isso que escrevi desesperada, certo dia, em meu diário: "Deus, estou com medo! EU NÃO QUERO ESCREVER ESTE LIVRO SOZINHA!".

Mas segui em frente. Não desisti. Se Satanás estava tentando tanto me fazer duvidar de mim mesma, pode ter certeza de que eu não iria recuar e deixá-lo vencer — por mais difícil que fosse prosseguir.

Satanás *irá* nos atacar enquanto seguirmos a Cristo. Ele tentará lançar mentiras sobre nós, infiltrar tentações ao nosso redor, nos levar a fazer concessões e desistir. Nem sempre sei como ele opera, nem como ele pode tentar invadir sua vida, mas de algo tenho certeza: a última palavra não é dele.

A última palavra pertence a Deus.

Efésios 6.10 orienta: "Uma palavra final: Sejam fortes no Senhor e em seu grande poder".

Chegou a hora de sermos fortes no Senhor. De nos revestir de toda a armadura que ele nos deu. De orar, buscar, nos sujeitar e nos aproximar. De encher o coração de verdade e viver como quem realmente acredita que Jesus é vitorioso.

Pois na cruz Cristo derrotou Satanás de uma vez por todas. É pelo nome poderoso de Jesus Cristo que temos a vitória. "Para que, ao nome de Jesus, todo joelho se dobre, nos céus, na terra e debaixo da terra, e toda língua declare que Jesus Cristo é Senhor, para a glória de Deus, o Pai" (Fp 2.10-11).

Vista sua armadura, guerreiro. É hora de dar o grito de guerra e declarar que Jesus Cristo é Senhor.

Portanto, empunhe sua espada. Conheça-a bem e maneje-a com habilidade. Vista toda a armadura que lhe foi dada. Cinja-se da verdade e aperte a couraça da justiça. Calce os sapatos do evangelho da paz e segure o escudo da fé, capaz de afastar todos os planos de ataque do inimigo. Coloque na cabeça o evangelho chamado salvação e dobre-se de joelhos em batalha (Ef 6.14-17).

Sim, estamos em batalha. Mas Jesus já venceu a guerra.

APROFUNDE-SE

1. A ideia de enfrentar batalhas espirituais e ataques de Satanás é nova para você? Isso lhe causa medo ou o perturba? Por que sim ou por que não?

2. Você já passou por distrações como as descritas no início do capítulo? O que fez com elas e como este capítulo mudou sua perspectiva?

3. Qual das quatro estratégias você acha mais difícil? Por que, em sua visão, elas são eficazes contra o inimigo?

4. Que mentiras específicas o inimigo já tentou lhe contar? O que as Escrituras dizem, em contraste? O texto bíblico lhe dá a certeza de que Deus tem a palavra final e já é vitorioso?

5. Como você percebe que o inimigo já o atacou no passado? Prepare uma "estratégia de batalha", separando vários textos bíblicos para combater os ataques. Dedique tempo hoje para focar-se em Deus e passar tempo em sua presença.

8

Buscando muito... ou quase nada?

Vamos passar tempo com Jesus

Vamos mandar a real. Uma das dificuldades que mais ouço de adolescentes, vez após vez, é acerca de como passar tempo com Deus. Escuto coisas do tipo:

- Estou frustrado. Tenho me sentido tão distante de Deus!
- Não tenho lido a Bíblia, pois me sinto estagnado. Fico só adiando e agora não sei como começar.
- Não sei como orar de maneira genuína. Eu tento, mas parece que estou mais mandando uma mensagem para a secretária eletrônica de Deus do que de fato passando tempo com ele.

Essas perguntas e frustrações sempre mexem comigo, pois entendo totalmente. Todos passamos por momentos em que nosso relacionamento com Deus parece distante. Acredite, já estive nessa situação. Já bocejei pelo livro de Levítico e me questionei o que em Números tinha a ver comigo. Já me peguei olhando para o nada no meio do meu momento de oração, totalmente esquecida do que estava falando com Deus antes. Também já dei desculpas e procrastinei meu tempo com Deus.

Todas as nossas desculpas não passam disso — desculpas. Quando dizemos coisas do tipo: "Parece que não sinto Deus quando oro", "A Bíblia nunca parece se aplicar a minha vida" ou "Não tenho tempo para estudar a Bíblia e orar", é simplesmente nossa forma de dizer: "Isso não é importante para mim". Achamos que estamos buscando profundamente e saindo vazios quando, na verdade, mal estamos buscando a Deus.

O que é passar tempo com Deus (e o que não é)

Há duas maneiras principais de passar tempo com Deus: estudo da Bíblia e oração. Você pode até achar que são coisas separadas, mas, na verdade, elas estão intimamente ligadas. O elemento que as une é o fato de ambas serem canais de comunicação com Deus.

Por meio da Bíblia, descobrimos sobre o coração de Deus. Por meio da oração, derramamos o nosso coração. Nas Escrituras, descobrimos os planos e as promessas de Deus, bem como seus caminhos e mandamentos. Em oração, pedimos ajuda e força e ouvimos seu Espírito. Na Bíblia, aprendemos como louvar e adorar. Por meio da oração, rendemos louvor e adoração. Ambas nos aproximam do coração de Deus e de sua presença.

Falarei sobre como elas funcionam concretamente nos dois capítulos seguintes, mas, antes de falarmos dessas práticas, vamos conversar sobre o que *não* são.

O tempo com Deus não deve ser uma correria de cinco minutos antes de sair porta afora ou dez minutos caindo de sono antes de dormir. Não é pegar o celular e ler dois versículos ou escolher um livro com devocionais de um minuto. Não é apresentar a Deus uma lista de tarefas com prazos marcados. Se isso for tudo, seria um relacionamento absurdamente unilateral e egocêntrico.

E é exatamente isso que de fato são as coisas que costumamos chamar de devocional, hora tranquila ou estudo da Bíblia

— o cultivo de um *relacionamento*. Assim como todo relacionamento, nosso relacionamento com Deus requer trabalho duro e consistência para crescer e prosperar.

Fácil e *divertido* não é exatamente como eu descreveria esse processo. É muito mais *recompensador* e *pleno de alegria*. Não dá para simplesmente encaixar tempo com Deus. É preciso transformar esse hábito em prioridade. Mas também é importante compreender que se trata de um privilégio, não de uma obrigação. Ler a Bíblia e orar não são súplicas para merecer o favor de Deus, pois já o temos por intermédio de Cristo. Não fazemos essas coisas a fim de implorar que Deus esteja ao nosso lado, pois ele já está. Não é um x marcado em nossa "lista de tarefas do bom cristão", mas um ato de intimidade, de aproximação de Deus, de aprendizado sobre quem ele é, como segui-lo e obedecer-lhe. É transformar o relacionamento em algo próprio, em vez de se contentar com uma fé de segunda mão.

Quando dedico tempo para acalmar minha mente inquieta e me concentrar em Jesus, encontro um amigo como nenhum outro. E sei que cada segundo com ele é tempo bem empregado. Quero conhecer Jesus, e a única maneira de conhecê-lo é passando tempo com ele. Todas as desculpas desaparecem quando separo tempo para buscar a Deus profundamente.

Vamos ir mais fundo e aprender mais sobre o primeiro aspecto desse relacionamento: a oração.

Oração: uma via de mão dupla

É possível que a oração seja a disciplina cristã mais difícil de dominar. Qualquer um que já tenha enfrentado dificuldades com uma mente a divagar enquanto tenta orar sabe que isso é verdade. No entanto, é também, ao mesmo tempo, uma das maneiras mais poderosas, importantes e cheias de alegria de se conectar com Deus. Já ouvi dizer que ser um cristão que não ora é tão impossível quanto viver sem respirar.[1] Com base em minha experiência, preciso concordar.

Voltei recentemente de uma viagem ao Tennessee. Foi mais frenética e ocupada do que eu imaginava e mal tive tempo para pensar, quanto mais para ficar sozinha em oração. Depois que cheguei em casa, o ritmo continuou o mesmo. Eu estava na loucura de desfazer a mala e retomar tudo que havia ficado de lado. Ainda estava encaixando alguns minutos por dia para ler a Bíblia, porém minha alma começava a ficar sedenta pela presença de Deus.

Eu conseguia sentir a diferença de passar tempo com Deus todos os dias para mal conseguir separar meio minuto no dia para orar. Não tinha a mesma paz e alegria. Fiquei irritadiça e estressada. Minha alma começou a se contrair por causa da falta de tempo com Deus. Eu estava espiritualmente faminta.

A oração é um estilo de vida

Ao longo dos últimos anos, desenvolvi o hábito de passar tempo em oração toda manhã. A duração tem variado ao longo dos anos, desde dedicar mais de uma hora em oração a quase não conseguir totalizar dez minutos. Também já pulei vários dias.

Eu não trocaria esses momentos sagrados por nada. Mas um ano depois de começar, comecei a perceber algo. Após terminar o momento de oração de manhã, eu raramente orava de novo durante o resto do dia. Eu marcava um x ao lado de "oração" em minha lista mental de afazeres e me esquecia de orar até a manhã seguinte. Sem nem me dar conta, estava deixando de lado um aspecto importante da oração.

Em 1Tessalonicenses 5.17, o apóstolo Paulo diz: "Orem sem cessar" (NAA). Eu costumava achar que isso significava que era preciso orar o tempo inteiro. E ficava confusa em relação a como *qualquer um* conseguiria fazer isso. Não dá, né? Temos uma vida para viver! Mas Paulo não estava dizendo que devemos passar o dia todo orando de joelhos. (Aliviado?) A orientação é que transformemos a oração em um estilo de vida, em uma mentalidade e prática constantes.

Embora eu tivesse um excelente tempo de oração toda manhã (ou me sentisse culpada quando não separava esse momento), falhava miseravelmente na categoria de "orar sem cessar". E eu precisava de ambos. A oração não é uma coisa estanque, que deve ser feita uma vez por dia. Trata-se de uma comunhão íntima com Deus, que acontece ao longo do dia inteiro. É louvá-lo quando vemos sua mão no trabalho e agradecê-lo pelos dons que nos dá. É concentrar a mente nele, levar-lhe nossos pedidos e nossas necessidades, conversar com ele sobre o dia e pedir força, auxílio e orientação. Às vezes, é um clamor simples, desesperado e direto ao ponto: "Deus, me ajude!". Orar sem cessar é como sussurrar para o melhor amigo o dia inteiro e se aproximar intimamente de seu Criador e Salvador.

Orar sem cessar é um trabalho difícil. Não sei quanto a você, mas minha mente não está projetada para focar-se automaticamente em Deus. Não é fácil reorientar os canais da mente. Na verdade, porém, temos muitas oportunidades de falar com Deus. E se orarmos enquanto estamos dentro do carro? E se orarmos enquanto lavamos louça ou durante os afazeres domésticos? Da próxima vez que ficar entediado ou sentir sua mente divagar, use isso como oportunidade de se aproximar de Deus. Não se contente com apenas dez minutos ou mesmo

116 • PAIXÃO RADICAL

meia hora por dia. A oração não é algo que fazemos e riscamos da lista, mas, sim, algo que *vivemos*.

Oração é comunicação consistente com Deus

Em contrapartida, necessitamos desesperadamente de tempo concentrado a sós com Deus. Transformar a oração em um estilo de vida só é possível se também dedicarmos tempo para a oração focada e intencional. Acredite ou não, Deus anseia por ouvir de você. É por isso que ele criou a oração como meio de comunicação entre os seres humanos e ele. Salmos 116.1-2 diz: "Eu amo o Senhor, porque ele me ouviu quando lhe fiz a minha súplica. Ele inclinou os seus ouvidos para mim; eu o invocarei toda a minha vida".

Esse sistema de oração é maravilhoso. Deus não precisa de nossas orações, mas ele as quer. Ele nos ama profundamente, quer ouvir de nós e inclina seus ouvidos quando clamamos. Pense em Deus se inclinando para ouvir cada palavra que dizemos pois ama o som de nossa voz. Quando oramos, nosso relacionamento com ele cresce e prospera, de maneira íntima e multidimensional. Por causa do pecado, a humanidade perdeu a intimidade profunda com Deus. Por meio da oração, porém, ela é restaurada. Há beleza e amor inimagináveis a ser descobertos quando buscamos a face de nosso Salvador.

Contudo, ainda assim nós nos afastamos. Não somos intencionais. Ficamos distraídos e prometemos que faremos "mais tarde". Mas é claro que o "mais tarde" nunca chega.

Qual é o problema conosco?

Parte disso está ligado a nossa culpa e condição pecaminosa. Sentimos que não somos dignos e estamos certos nesse ponto. Mas quando Jesus morreu e ressuscitou, ele o fez por pessoas indignas e nos deu, em troca, sua dignidade. Outro problema é que não consideramos a oração uma prioridade. Deixamos sua prática de lado porque outras coisas parecem mais prementes. E, com frequência, simplesmente não somos organizados e intencionais quanto a nos achegar a Deus em oração.

Seis dicas para passar tempo em oração

Agora que falamos sobre a importância da oração, seguem seis dicas acerca de como separar tempo intencional com Deus. Embora sejam dicas práticas, por favor, não as interprete como um ritual legalista e marcado pela culpa. Precisamos ser práticos e propositais. Mais do que qualquer coisa, porém, devemos ser motivados pelo amor e desejo de conhecer a Deus. Afinal, orar é simplesmente conversar e passar tempo com Deus.

1. Dedique a ele a melhor parte de seu dia

Não dê a Deus o tempo que sobra. Afinal, quem é que tem mesmo tempo de sobra? Dê a ele o melhor.

A primeira coisa pela manhã, antes de olhar o telefone, antes de estudar ou ir para o trabalho, deve ser colocar Deus antes de tudo o mais. Isso requer intencionalidade e, às vezes, sacrifícios, mas vale muito a pena.

2. Coloque na agenda

Estou falando sério. Se necessário, coloque um lembrete em seu celular ou escreva no calendário. E cumpra o compromisso. Você não perderia um compromisso feito com um amigo só porque ficou ocupado ou apareceu outra coisa para fazer, não é mesmo? Trate seu tempo com Deus com o mesmo respeito. Guarde-o com diligência e não permita que nada interfira.

3. Elimine as distrações

Essa parte é mais fácil falar do que fazer, mas você pode agir deliberadamente a fim de livrar a mente de distrações desnecessárias. Desligue o telefone quando for orar. Assim você não receberá notificações, nem se sentirá tentado a conferi-las. Peça a sua família que não o interrompa quando estiver orando e garanta que realmente passará esse tempo em oração. Não aproveite o tempo a sós para fazer outras coisas! Se necessário, saia de casa. Vá caminhar. Sente-se do lado de fora. Dirija um pouco e ore em um estacionamento ou à beira da estrada. Faça o que for necessário para ficar a sós com Deus. Ele não é exigente em relação a onde você está ou a sua postura física. Apenas lhe pede que ore.

4. Escreva orações e pedidos de oração

Eu amo ter um diário de oração. Não escrevo nele todos os dias, mas adoro olhar para o passado e ver o que Deus fez e como tenho me aproximado dele. Às vezes ainda estou esperando uma resposta, e há ocasiões em que a resposta é não. De todo modo, trata-se de um testemunho de sua fidelidade.

Ache um diário ou caderno e anote suas orações e seus pedidos. Tê-lo por perto ajuda a direcionar o foco enquanto você ora e a manter a mente concentrada nos motivos de oração.

5. Saiba quais são seus motivos de oração e quando irá orar por eles

Há pouco tempo, ouvi falar de um jovem que sai para a faculdade alguns minutos mais cedo todos os dias a fim de passar tempo extra no carro orando pelos colegas de classe e professores. Seu plano tem três pilares: o primeiro, certificar-se de orar pela escola todos os dias; o segundo, entrar em sala de aula com a mente focada na missão, orando diretamente com antecedência; terceiro, separar tempo específico para cobrir essa área específica de oração, em vez de tentar encaixá-la em seu momento costumeiro de oração. Sua paixão e intencionalidade me inspiraram.

Eu costumava me incomodar (e isso ainda acontece) com a sensação de que há pedidos demais de oração, sem tempo suficiente para fazer todos. Em consequência, eu orava sem emoção, passando apressada pela lista a fim de chegar ao último ponto e poder partir para as outras tarefas da vida — estou sendo totalmente transparente! Acabava me sentindo estressada, em vez de conectada com Deus.

A verdade é que há mesmo muitas coisas diferentes que necessitam de oração. E quanto mais tempo você passa com Deus, mais se conscientiza delas.

Meu problema é que eu não era organizada. Não sabia por quais motivos orar. Eu dizia que ia orar por alguém, depois me esquecia. Ou queria orar por causas específicas, mas o tempo se esgotava. A organização me ajudou tremendamente com isso. Há temas pelos quais oro todos os dias — como minha família e meus amigos. E há outras áreas pelas quais oro de forma consistente, mas em vez de tentar encaixar todas as necessidades do mundo em um dia, designo dias e horários para orar por determinados assuntos. Ao me concentrar no motivo de oração e ser organizada, consigo interceder com maior fervor por aquele tema específico.

Não se esqueça de que há grande poder na oração. E, sim, isso inclui até mesmo as *suas* orações. Esse poder não se encontra na pessoa que ora, nem nas palavras ditas, mas, sim, naquele a quem oramos. Por isso, não se preocupe com as palavras, se está fazendo tudo "certo" ou não. Apenas compareça intencionalmente na presença de Deus. Como os discípulos em Lucas 11.1, podemos pedir a Jesus que nos ensine a orar e ele o fará.

6. Jogue duro

Em geral, nós abordamos a oração de forma desleixada e casual. Isto lhe parece familiar: "Hum, Deus... ahn... Obrigado... é... me ajuda nessa prova... ahn (sobre o que eu estava orando mesmo?)... esteja com isto e aquilo... hum... obrigado, amém"?

Não me diga que você nunca fez uma oração desse tipo, pelo menos uma vez na vida. Tenho certeza de que sim. Imagine se você estiver em uma conversa e esse for todo o esforço da outra pessoa. Frustrante, não é mesmo? Eu não sentiria vontade de dialogar novamente com alguém assim.

A oração é uma disciplina intencional. Sim, produz alegria e é motivada pelo amor, mas precisamos pensar no que estamos orando e dedicar esforço. Satanás quer que você se distraia. Não quer que você jogue duro e seja intencional em seus clamores fervorosos a Deus. É por isso que somos bombardeados com tantas distrações quando começamos a orar. Meu coração muitas vezes fica dividido e sem foco quando começo o tempo de oração. É como se tudo ao redor estivesse depondo contra mim. Minha lista de tarefas me chama. O relógio grita que já estou atrasada. Ainda estou muito sonolenta. Consegue se identificar?

Aprendi que, sempre que me sinto assim, posso ter a certeza de que me encontro no meio de uma batalha densa. Isso significa que necessito me ajoelhar, focar o coração e levar a sério o trabalho duro de orar. Se você se sente assim, separe alguns minutos para se concentrar em Deus, ouvindo músicas de louvor ou lendo a Bíblia em voz alta. Eu amo orar com as

Escrituras também. Dedicar alguns minutos para focar o coração pode ajudá-lo a se preparar para entrar na sala do trono da presença divina.

Não desista

Algo que não quero que você faça após ler este capítulo é pensar: "Legal, gostei da ideia! Vou tentar". Não quero que você comece com força total e depois, aos poucos, perca o hábito, após uma ou duas semanas. Por que eu acho que você poderia fazer isso? Porque já aconteceu comigo.

É fácil se empolgar com algo, começar muito bem e depois permitir que vagarosamente a animação se esfrie à medida que os dias passam. É por isso que estou advertindo agora. Não permita que isso aconteça.

Sim, seu momento de oração será inovador e empolgante nos primeiros dias. E, sim, o entusiasmo acabará. Os sentimentos têm altos e baixos. Sua agenda ficará frenética. Você se sentirá tentado a desistir ou, pelo menos, pular um dia... ou dois... ou três... e assim por diante.

Quando o fogo e a empolgação se apagarem, continue. Quando se sentir cansado e desanimado, prossiga. Quando achar que não tem tempo, faça tempo. Quando conflitos e distrações aparecerem, seja intencional. Quando seu horário escolar no trabalho mudar e você achar que não consegue continuar, altere seu horário de oração. *Mas siga em frente.*

E quando você pular um dia... ou dois... ou uma semana... ou mesmo um mês, não permita que isso o impeça de começar de novo. Seja perseverante e proteja ferrenhamente seu tempo com Deus. Não deixe que nada o roube de você.

Busque a Deus profundamente. Desperte sua alma, siga-o e concentre o coração nele por completo, a cada dia e momento.

Sim, você sentirá apatia e, às vezes, pensará que não vale a pena. Não ceda a essas mentiras. Dobre seus joelhos e busque a face de Deus. Se você deseja amar a Deus apaixonadamente e segui-lo com fidelidade, orar é *fundamental*.

APROFUNDE-SE

1. Você já se percebeu sem vontade de passar tempo com Deus? Passou tempo com ele assim mesmo?
2. Qual dica foi mais útil acerca da intencionalidade da oração? Escolha um momento e lugar a fim de dar os passos necessários para desenvolver um período regular de oração a partir de hoje.
3. Qual é a diferença entre momento diário de oração e um estilo de vida de oração? Algum dos dois é mais importante? Como eles se complementam?
4. Que distrações você enfrenta com maior frequência? Como buscar deliberadamente eliminá-las?
5. Você já começou algo e então desistiu algumas semanas depois? Como pode se preparar para que isso não aconteça com seu tempo de oração?

9

Mais profundo que
um devocional de um minuto

Cave fundo a Palavra de Deus

Se há algo que já notei em nós, cristãos, é que gostamos da Bíblia. E isso não significa necessariamente que somos bem versados nas Escrituras ou que nossa Bíblia já esteja caindo aos pedaços de tanto uso. É bem o contrário, na verdade.

Pare e pense um pouco: há diversas versões. E, além disso, é possível comprar cada uma dessas versões em formatos singulares. Já ouviu falar na Bíblia à prova d'água? Já folheou as páginas de uma Bíblia voltada para a prática de *journaling*? Existem até Bíblias com folhas para colorir por dentro. Por causa do número cada vez maior de edições em nossa sociedade, em geral acabamos tendo pilhas de Bíblias dentro de casa.

Mas nós de fato lemos alguma delas?

Embora não haja problema ter uma Bíblia especial ou querer uma Bíblia de boa qualidade, às vezes o principal propósito das Escrituras se perde na tentativa de tornar atraentes as palavras de Deus, para que nos pareçam mais "interessantes". Precisamos voltar ao verdadeiro propósito da Bíblia.

No entanto, temos dificuldade com isso. Somos ocupados e, não raro, não achamos as Escrituras relevantes para nossa vida diária. No entanto, aprofundar-se na Palavra de Deus não é opcional para o seguidor de Cristo. É na Bíblia que aprendemos sobre Deus e como ele quer que vivamos. É nosso manual de vida e guia de instruções, nosso padrão perfeito e medida de avaliação de todas as outras coisas. Não consiste em um ritual tedioso, mas, sim, em uma carta de salvação e esperança, repleta de orientações que Deus nos escreveu. Não dá para amar a Deus e não ler suas palavras ou afirmar segui-lo e ignorar seus ensinos.

Sem a Palavra de Deus, não saberíamos como agir, nem como lhe dar glória. Salmos 119.9 diz: "Como pode o jovem se manter puro? Obedecendo à tua palavra". Sem a Palavra, estaríamos perdidos sem bússola. Não teríamos encorajamento e exortação, histórias de livramento divino e exemplos tanto positivos quanto negativos. Não teríamos as palavras de Cristo, nem a história de sua vida.

Felizmente, temos acesso a todas essas coisas, mas, em vez de nos aprofundar nessas verdades, deixamos o livro mais extraordinário, glorioso, consolador e vivificador empoeirar na estante. Assim como a oração, a leitura da Bíblia não é mais uma tarefa que devemos cumprir na "lista de afazeres do bom cristão". Não a lemos para marcar pontos no placar divino. Nós a lemos para conhecer a Deus. Não conhecer apenas *sobre* ele, mas *conhecê-lo* de fato, de maneira íntima e pessoal. O autor Francis Chan explica: "Deus não quer o cumprimento de uma obrigação religiosa. Ele não deseja uma atitude displicente, automática, do tipo: 'Tudo bem, li um capítulo. Está satisfeito?'. Deus quer que sua Palavra seja motivo de deleite para nós, e de tal maneira que meditemos nela noite e dia".[1] A boa notícia é que, quanto mais lemos as Escrituras, mais nossa alma anseia por suas palavras e elas se tornam um deleite.

Quatro dicas para se aprofundar nas Escrituras

Aqui estão quatro formas práticas de ir mais fundo na Palavra, ser consistente e permitir que ela mude sua vida.

1. Ore antes de ler

Você se lembra do quanto a oração e o estudo da Bíblia estão ligados? Preparar o coração para receber a Palavra de Deus por meio da oração é uma das formas mais poderosas de vínculo e complemento entre as duas práticas. Somos incapazes de discernir as verdades bíblicas por conta própria sem a orientação do Espírito Santo. Os princípios espirituais precisam ser espiritualmente discernidos, e a oração nos ajuda a compreender a Bíblia. O evangelista J. C. Ryle afirmou: "Leia com a prece de que a graça do Espírito Santo o ajude a entender. Já foi afirmado: 'Entender as Escrituras sem a graça é tão impossível quanto lê-la sem os olhos'".[2]

Antes de ler, ore. Ore pedindo sabedoria para compreender a Palavra de Deus, olhos abertos e um coração sensível. Ore para que a Palavra ilumine seu caminho e guie seus passos. Ore para ser desafiado, encorajado, santificado e transformado à semelhança de Cristo enquanto lê e medita em cada palavra. Ore para que se deleite na leitura da Bíblia e anseie por suas palavras. Ore junto com o salmista: "Abre meus olhos, para que eu veja as maravilhas de tua lei" (119.18).

2. Leia regularmente e antes de tudo

Não leia a Bíblia ocasionalmente. Leia-a todos os dias. As Escrituras são alimento para a alma; não passe fome. Depois de passar um tempo em oração, a primeira coisa que faço pela manhã é pegar a Bíblia. O tanto que eu leio varia. Certa vez, li a Bíblia inteira em um ano. Por alguns anos, li um capítulo por dia, começando em Gênesis até chegar ao Apocalipse. Às vezes, leio dois capítulos por dia, mas, em outras ocasiões, se o capítulo for longo ou se sentir que Deus está falando algo a meu coração e necessito de tempo para pensar um pouco, eu paro antes de terminar um capítulo completo. Nos últimos tempos, tenho lido um trecho do Antigo Testamento e depois um trecho do Novo, para absorver verdades de diferentes partes das Escrituras. Às vezes, encontro algo poderoso e aplicável no mesmo instante, ao passo que, em outras ocasiões, preciso cavar um pouco mais fundo.

O que mais tem me ajudado a me manter consistente é fazer isso *primeiro*. Antes de conferir o celular, antes de tomar café da manhã, antes de começar a escrever, antes que o dia de fato comece, eu passo tempo na Palavra. Ao fazer isso antes de qualquer outra coisa, estou investindo primeiro em Deus, provando que ele é minha prioridade, e também começando o dia com o foco em Cristo.

Admito que há dias em que acabo dormindo até mais tarde (não julgue) ou preciso levantar mais cedo que de costume e acabo não tendo tanto tempo e me sinto apressada. Há manhãs em que estou mais distraída do que em outras, nas quais preciso me esforçar muito para concentrar a mente em Cristo. Há também aquelas manhãs — sejamos francos — em que estou simplesmente cansada. Deus me concede graça nessas manhãs e, mesmo fora das condições ideais, continuo a absorver suas palavras e ele é capaz de usar até mesmo meus esforços incompletos para falar a meu coração e me aproximar dele.

3. Vá além de ler — reflita e estude

A Bíblia não é um livro didático que você lê em busca de informações, nem um romance lido para fins de entretenimento. Não basta meramente ler. É preciso absorver. Já caí no erro de ler o capítulo do dia, fechar a Bíblia e me esquecer do que li — sobretudo quando estou nos livros mais difíceis do Antigo

Testamento. É necessário ter muita disciplina para diminuir o ritmo e pensar no que estou lendo. Aprendi a separar um ou dois versículos e refletir mais detalhadamente neles. Pergunto-me coisas do tipo: "Como isso muda minha perspectiva?", "O que isso me revela sobre Deus", "Um erro ou pecado meu foi revelado?", "Como posso aplicar isso hoje?". Às vezes, escrevo minhas respostas em um diário.

Há muita profundidade e tantas verdades por baixo da superfície das Escrituras que não descobriremos se simplesmente lermos a Bíblia como se fosse qualquer outro livro. O objetivo de estudar e refletir detalhadamente naquilo que lemos é focar o coração em Deus e em seus caminhos. A mera leitura pode não calar fundo, mas a meditação e a contemplação do que lemos, refletindo na aplicação da mensagem a nossa vida, muda os pensamentos, o coração e as atitudes.

4. Vá além de refletir — memorize

Antes de começar a argumentar que você não é bom de memorização, pense em todas as músicas que você sabe de cor. Pessoalmente, sei dezenas de episódios de *I Love Lucy* decorados e basta ouvir uma música duas vezes para enraizar para sempre na mente a maior parte da letra.

Eu achava que não era boa em decorar, apesar de todas as evidências contrárias que acabei de citar. Aliás, era tão contrária a essa ideia que inventava desculpas para não fazê-lo, simplesmente porque me parecia trabalho demais. Há cerca de um ano e meio, decidi tentar. Li em um livro sobre um método de memorização que me pareceu simples, então pensei: "Por que não?".

Comecei com tudo. Meu primeiro objetivo: Filipenses. Sim, o livro inteiro. Levei cerca de cinco meses, mas consegui.

128 • PAIXÃO RADICAL

Foi difícil, mas não tanto quanto eu havia imaginado. Ainda me esforço para relembrar e minha memória não é impecável, mas não me arrependo por nenhum segundo do tempo que dediquei a memorizar a Palavra de Deus.

Você não precisa decorar livros, nem mesmo capítulos inteiros para colher os benefícios da memorização. Dá para começar com um versículo por semana. Não importa o quanto memoriza, mas, sim, o fato de estar preenchendo a mente com as palavras de Deus e permitindo que elas firmem raízes em seu coração. Salmos 119.11 diz: "Guardei tua palavra em meu coração, para não pecar contra ti". Não dá para saber se chegará o momento em que você não terá mais acesso à Bíblia. Nesse caso, você não gostaria de ter a Bíblia no coração?

O cerne da questão

Não quero que isso pareça um ritual ou um processo educativo sem graça. Não gostaria que você considerasse a leitura da Bíblia apenas uma disciplina, não uma alegria. À medida que você se aprofunda nas Escrituras e permite constantemente que suas palavras lavem seu coração, é exatamente isso que seu estudo se torna: uma alegria.

Poucas coisas me proporcionam tanta alegria quanto passar tempo com Jesus. Nem consigo lhe explicar o quanto a leitura da Palavra de Deus tem enchido minha alma de puro e simples deleite. Tenho vivenciado momentos de cura ao ler, bem como momentos de dolorosa convicção do erro. Há ocasiões em que parecia que Deus estava bem ali, sussurrando em meu ouvido, mas também houve instantes de seca, nos quais necessitava desesperadamente de algo para reavivar minha alma. Já chorei ao ler a Bíblia. Já fui conduzida à adoração por meio de suas páginas.

MAIS PROFUNDO QUE UM DEVOCIONAL DE UM MINUTO • 129

Nem sempre é fácil ou divertido. Mas posso lhe dizer, com toda a certeza, que sempre vale a pena. Peça a Deus que lhe dê paixão inflamada por sua Palavra. Ele o fará. E quando o fogo se ofuscar e tremular, peça mais uma vez. Mesmo que nunca mais leia outro livro, ou até se nem terminar este, jamais desista de ler a Bíblia. Ela o guiará e sustentará. Ela o erguerá e incentivará. É luz para guiá-lo e lâmpada para dirigir seus passos (Sl 119.105). Não permita que sua vida se torne ocupada demais para isso. Caso precise abrir mão de outras coisas, faça-o. Se tiver de sacrificar o sono, o acesso às redes sociais, os programas de televisão ou o tempo para si mesmo, tudo bem. Só não ignore a Palavra de Deus.

Até onde você está disposto a ir?

Voltemos à Inglaterra, no ano de 1523.

Nunca antes a Bíblia inteira fora livremente publicada em inglês. A única Bíblia legal era em latim, e somente os eruditos sabiam ler nas línguas originais, grego e hebraico. Até que um britânico de 29 anos, um estudioso apaixonado por Deus chamado William Tyndale, decidiu que isso precisava mudar.

Foi condenado, criticado e ameaçado por seu desejo de repartir a Palavra de Deus com todas as pessoas. Ele via os pobres e iletrados, incapazes de ler a Palavra de Deus por conta própria. Via os torturados, aprisionados e queimados vivos por ensinarem aos filhos o Pai Nosso e os Dez Mandamentos. Era ilegal, veja bem, ler, memorizar ou possuir um exemplar das Escrituras em inglês. As consequências para qualquer um desses atos eram extremas e letais. Talvez o rei e os líderes da igreja temessem o que aconteceria se as pessoas comuns tivessem acesso à Palavra de Deus. Quem sabe conhecessem o poder que ela contém e temessem o reavivamento que ela

130 • PAIXÃO RADICAL

sem dúvida despertaria. Contudo, a fome e a sede dos seres humanos pelas Escrituras não podem ser — *e não serão* — reprimidas. Nenhuma ameaça, nem mesmo a morte, silenciará sua paixão.

William Tyndale percebia isso e seu coração ardia ao visualizar até mesmo o mais humilde agricultor podendo ler e ensinar a sua família as verdades bíblicas. Então decidiu agir, ciente de que isso lhe custaria tudo.

Após deixar a Inglaterra para não perder a vida, refugiou-se na Alemanha e trabalhou na tradução do Novo Testamento. O perigo o perseguiu ali, porém, e ele se mudou para a Bélgica, ainda traduzindo. Logo terminou, e exemplares do Novo Testamento de Tyndale foram contrabandeados para a Inglaterra. Os livrinhos eram rapidamente comprados e devorados pelas pessoas. Algumas delas jamais haviam escutado antes as palavras que ali encontravam. Grupos ficavam acordados a noite inteira para ler ou escutar a leitura. Sua sede por Deus era insaciável e finalmente, *finalmente*, podiam descobri-lo.

Os pequenos Novos Testamentos foram descobertos, é claro. Muitos foram queimados e destruídos por homens furiosos ao ver jogada por terra sua tentativa de preservar as Escrituras somente em latim ou no original grego e hebraico, distante do povo comum. De repente, as prisões estavam transbordando de cristãos. Milhares foram executados — apenas por possuir um Novo Testamento em inglês.

Tyndale continuou traduzindo e publicando até ser pego e preso em 1535. Passou um ano e meio na prisão. Durante esse período, trabalhou na tradução do Antigo Testamento. Não chegou a concluí-la, pois, no início de outubro de 1536, William Tyndale, homem cujo único crime foi amar a Palavra de Deus, foi queimado vivo amarrado na estaca, enquanto orava fervorosamente para que Deus abrisse os olhos do rei da Inglaterra, permitindo que todos lessem a Bíblia.

Nossa liberdade de ler as Escrituras a qualquer momento em nossa língua materna foi comprada com o sangue de homens e mulheres apaixonados pela Bíblia. As Bíblias que seguramos e colocamos na estante só estão ali porque o caminho foi pavimentado com sacrifício, martírio e coragem tremenda.

Mesmo hoje, milhões de cristãos não têm acesso à Bíblia. Ou, quando têm, arriscam a vida diariamente por possuí-la, já que a Bíblia é ilegal em muitos países e extremamente difícil de obter em outros tantos.[3] Milhões valorizam a Bíblia mais que a própria vida e voluntariamente a entregam em prol das Escrituras.

Desonraremos esse sacrifício com nossa indiferença e complacência? Ou nos levantaremos com fogo pela Palavra de Deus e daremos valor a nossa liberdade de lê-la, memorizá-la e proferir sua mensagem de vida e verdade?

Pode chegar o dia em que nós também precisaremos escolher entre a própria vida e a Palavra de Deus. Que escolha você fará?

Que decisão tomará hoje mesmo?

APROFUNDE-SE

1. Quantas Bíblias você tem em casa? Com que frequência as lê?
2. Você acha difícil separar tempo para ler e entender a Bíblia? Usando as dicas mencionadas, dê intencionalmente a Deus a melhor parte de seu dia e leia as Escrituras diariamente.
3. Você já estudou as Escrituras no passado? Em caso afirmativo, foi útil? O que aprendeu?

4. Você já tentou memorizar as Escrituras? Como foi a experiência? Escolha uma passagem e esforce-se para decorá-la ao longo desta semana.
5. Você sabia da luta necessária para traduzir a Bíblia? Como isso muda sua perspectiva? Se precisasse escolher entre a própria vida e a Bíblia, qual seria sua decisão?

Parte 4

O X DA QUESTÃO

10

Uma oportunidade é tudo que temos

Não desperdice sua vida — nem seu tempo

Jeremiah Thomas era um verdadeiro craque do futebol americano. Recebia prêmios. Seu time ganhou o campeonato estadual. Era bonito, talentoso e tinha a vida de seus sonhos.

Até que, certo ano, sua vida sofreu duas reviravoltas drásticas.

A primeira aconteceu no verão de 2017. Deus cativou seu coração e despertou uma chama de paixão por Cristo em sua alma. Deus transformou sua vida e suas perspectivas.

Jeremiah conta: "Quando mais novo, eu sempre tinha um pé em Cristo e o outro no mundo. Frequentava a igreja, estudava a Bíblia e servia com minha família, mas quando estava na escola ou passando tempo com os amigos, não daria para perceber que eu conhecia Cristo".[1]

Tudo isso mudou. Depois daquele verão, Jeremiah se apaixonou por Deus e passou a dedicar sua vida a compartilhar o evangelho e combater o "holocausto oculto" de nossa geração: o aborto. Ele escreveu: "Corri imediatamente para a primeira fileira da batalha e comecei a ministrar do lado de fora da clínica local de abortos. Com a Bíblia e um microfone portátil em mãos, passei a pregar o evangelho em escolas de ensino médio e *campi* universitários".[2]

Ele continuava a jogar futebol americano. Seu time voltou a vencer o campeonato estadual em 2017. Ele jogava basquete e beisebol também. A diferença é que agora ele rejeitava a

136 • PAIXÃO RADICAL

apatia e a indiferença que haviam marcado sua adolescência até então. Aos dezesseis anos de idade, Jeremiah Thomas fez o compromisso de seguir a Cristo a despeito do que houvesse e de lutar com todas as forças em favor das vidas inocentes dos fetos.

Então aconteceu a segunda reviravolta drástica.

A temporada de basquete estava quase no fim. Após uma partida, Jeremiah foi para casa e sentiu um pouco de dor nos quadris. "Nada grave", pensou. Deixou para lá, continuou jogando e ministrando. Mas não passou. A dor foi piorando, piorando e piorando cada vez mais, até ficar insuportável. A princípio, os médicos acharam que não era nada. Como, porém, a dor só piorava, acabaram pedindo uma tomografia. Novamente, uma mudança drástica de vida.

A dor que Jeremiah vinha sentindo estava ligada a um câncer. Em um artigo que escreveu, ele relata a angústia que acompanhou essa descoberta:

Meu mundo virou de cabeça para baixo e de dentro para fora. A única coisa que conseguia de fato entender era que tinha um tumor no peito e que era maligno. Eu estava morrendo. [...]

Meu sonho de jogar futebol americano na liga universitária estava *morto*. Meu sonho de ministrar e servir a Deus estava *morto*. Ficamos absolutamente pasmos. Eu sempre fora extremamente saudável. Estava na flor da idade! Tinha tantos planos e objetivos para aquele ano. Não conseguia aceitar a notícia de que tinha um tumor maligno. Ainda não! Agora não! Quem sabe um tumor aos setenta anos de idade. Eu podia morrer aos setenta. Mas não aos dezesseis.[3]

Ele não conseguia entender. Por que tudo estava acontecendo enquanto ele ainda era tão jovem? Depois de haver acabado de começar a viver totalmente por Cristo? Quando estava dedicado ao ministério em tempo integral, compartilhando o evangelho, servindo, amando, vivendo e pregando com tudo que tinha? Deus não poderia usá-lo mais se ele fosse forte e saudável? Deus não queria que ele dedicasse a vida a servir a Cristo e dar fim ao aborto?

Então por que abreviar tudo assim?

Jeremiah perdeu tudo. Ele escreveu uma carta a sua geração e a publicou no *blog* de seu pai meses após o diagnóstico.

> Após alguns meses de câncer e uma série de tratamentos diferentes, aqui estou, deitado na cama, digitando esta carta. Perdi os cabelos, a capacidade de andar, mais de vinte quilos de músculos saudáveis, a sensação das pernas e das costas e minha carreira de futebol americano. Mas não perdi a fé e a esperança em Deus. Pelo contrário, minha fé nele se fortaleceu.[4]

Nos seis meses seguintes a seu diagnóstico, Jeremiah lutou corajosamente pela vida.

Mas não só por *sua* vida.

Ele continuou a lutar pela vida dos nascituros. Vivia por Cristo a cada dia passageiro. Não sabia quanto tempo lhe restava, mas estava determinado a usar cada segundo para Jesus. Quando soube pela primeira vez que havia perdido a capacidade de andar, respondeu: "Então pregarei de cadeira de rodas".[5]

Desde que foi diagnosticado, passou a viver em estado constante de dor excruciante e perdas devastadoras. Foi ridicularizado por seu compromisso manifesto com Jesus. Passou por muito mais do que sou capaz de compreender, mas jamais perdeu a fé em nosso Deus todo-poderoso e todo-bondoso.

Aliás, sua fé se tornava mais forte à medida que usava cada dia que tinha para algo maior do que ele próprio, mesmo que seu corpo fosse se enfraquecendo aos poucos.

Ele se posicionou na frente da batalha e lutou com bravura. Inspirou sua geração.

E me inspirou.

No dia 26 de agosto de 2018, a batalha de Jeremiah terminou e ele se apresentou diante daquele a quem dedicou a própria vida. Viveu bem e morreu bem. Meu coração ficou partido quando soube da notícia. Chorei por sua vida e pela perda, mas louvei a Deus pelo exemplo que ele deixou de compromisso, de viver com tudo por Cristo, mesmo diante de circunstâncias desoladoras.

Sua fé completa em Deus me acalma o coração. Também me desafia. Como eu passaria meus dias se soubesse que havia a forte possibilidade de não viver por muito mais tempo? Como eu reagiria? Com autocomiseração? Com medo?

Ou viveria como Jeremiah, em serviço abnegado e fé?

A verdade é que Jeremiah não pediu para viver a própria história. Não sabia que apenas um ano depois de Deus conquistar seu coração, ele estaria entre a vida e a morte, frágil e enfermo.

Nós também não conhecemos nosso futuro.

Não sabemos a duração de nossa vida. Somos incapazes de prever o amanhã. Não podemos escolher boa parte do que nos acontece na vida.

A única coisa que podemos escolher é como viver cada dia.

Como vivemos hoje, sabendo que pode ser nosso último dia. Como vivemos cada segundo, cada momento.

Nós os viveremos para nós mesmos? Ou para algo maior?

Não desperdice o dia de hoje

Vi uma frase nas redes sociais nesta manhã que me marcou: "Use sua vida para alguém que durará mais tempo que seus *stories* no Instagram".

Deus nos criou com um propósito. Seu projeto e plano para cada um de nós é único e intencional. Nossa vida importa porque *nós* somos muito importantes para Deus. Não existe um detalhe tão pequeno ou insignificante com o qual ele não se importe.

E isso significa que nossas escolhas de estilo de vida também são importantes. Deus tem um plano para cada um de nós, e parte desse plano — independentemente dos detalhes — envolve prestarmos conta de como usamos o dom da vida que ele nos deu. A despeito do rumo que nossa vida tome na esfera individual, o objetivo principal e o destino de cada cristão é amar a Deus e avançar seu reino. Se fizermos isso como missionários ou com um emprego secular em tempo integral não importa tanto quanto nossa atitude e o desejo de viver bem cada momento, com o conhecimento de que nossa vida é muito curta, mas, ao mesmo tempo, muito preciosa. Pois a verdade é que, se não formos intencionais, o desperdício será certo.

Salmos 90.12 diz: "Ensina-nos a contar os nossos dias para que o nosso coração alcance sabedoria" (NVI). A contagem de nossos dias reflete a certeza de que cada dia importa e não temos como saber a duração de nossa vida. Nessa mesma tônica, Efésios 5.15-16 afirma: "Portanto, sejam cuidadosos em seu modo de vida. Não vivam como insensatos, mas como sábios. Aproveitem ao máximo todas as oportunidades nestes dias maus".

Muitos de nós vivemos cada dia como se ele não importasse. Sem paixão. Sem chamado. Sem serviço.

140 • PAIXÃO RADICAL

Apenas... existimos. Fazemos as mesmas coisas. Vemos as mesmas pessoas. Ficamos presos na rotina de estudar, nos divertir, entrar nas redes sociais e, quem sabe, trabalhar um pouco. Somos ocupados, mas, se precisássemos escolher uma coisa significativa que fazemos todo dia e que durará mais tempo que um de nossos *stories* do Instagram, teríamos algo para compartilhar?

Lá no fundo do coração, todos queremos ter uma vida que deixe um legado maior do que nós mesmos. Desejamos olhar para trás e ver o que realizamos — como o mundo é melhor ou como impactamos a vida de alguém e fizemos a diferença. Somos uma geração apaixonada por justiça e empenhada em corrigir os males do mundo, pois enxergamos com muita clareza as mazelas de nossa cultura. Se somos guiados por Cristo, deveríamos falar dele apaixonadamente às pessoas ao nosso redor.

Mas aqui está a questão: nossa paixão é esmagada por distrações cotidianas sufocantes. Argumentamos que "um dia" faremos algo que fará a diferença. Mas e hoje? Somos jovens demais. Ocupados demais. Inexperientes demais. A juventude deveria ser divertida, certo? A cultura nos diz que devemos nos divertir, ir em frente e mergulhar de cabeça nas coisas enquanto somos jovens, tolos e cheios de energia. Somos alimentados com essa mensagem de todas as direções durante a adolescência, mas, ao mesmo tempo, esperam que assumamos responsabilidade pelas consequências de nossos atos e façamos algo com nossa vida. Como se fôssemos nos transformar automaticamente em adultos responsáveis e trabalhadores no instante em que completarmos 21 anos.

Até parece.

Mas não precisamos esperar para fazer a diferença. Podemos viver para Cristo *hoje* e viver bem *hoje*. Temos potencial intocado extraordinário. Por que nós o armazenaríamos para "um dia" futuro incerto? Se você não quer que, daqui a dez anos, sua vida pareça idêntica ao que é agora, então — adivinhe? — é preciso começar a mudá-la... hoje. No livro *Uma palavra aos moços*, J. C. Ryle afirmou: "Satanás não se importa com quão espirituais sejam suas intenções ou quão sagradas sejam suas resoluções, contanto que você se determine a colocá-las em prática amanhã".[6]

Se você não quer desperdiçar sua vida, comece não a desperdiçando hoje.

Como desperdiçamos tempo

Como isso acontece de forma prática? Tudo começa com a consciência das atividades e disposições mentais que roubam nosso tempo. Aqui estão cinco formas comuns de desperdiçar tempo:

1. Redes sociais e televisão

Tenho uma confissão a fazer: eu não suporto redes sociais. Bem, na verdade, não suporto o quanto sou viciada nelas. Sem sombra de dúvida, as redes sociais são um dos maiores desperdícios de tempo de nossa geração. Mas não precisamos ser escravos delas. Tornou-se um vício para nós, mas podemos nos libertar. Comece com algo pequeno como ficar um dia por semana sem redes sociais, desligando o telefone ou as notificações. Ou então espere até depois de tomar o café da manhã e se arrumar para o dia antes de acessar as redes sociais. Intencionalmente procuro fazer do domingo um dia "livre de telas", não usando o celular (a menos que estritamente necessário) e não acessando as redes sociais em momento algum. Enquanto escrevo estas palavras, estou no

142 • PAIXÃO RADICAL

quinto dia de um período sabático de duas semanas sem redes sociais. Após alguns dias com sintomas de abstinência, estou bem. Tenho aprendido que consigo viver sem as redes sociais. E adivinhe? Você também consegue. Eu prometo.

O mesmo vale para a televisão. As estatísticas não mentem: a maioria das pessoas passa uma média de quatro a cinco horas por dia em frente à tela da televisão.[7] Não é preciso chegar a esse extremo para desperdiçar tempo. Pense da seguinte forma: quanto do seu dia é dedicado a "tempo de tela", em comparação com "tempo de Deus"? Se sua resposta for desequilibrada, algo precisa mudar. Faça um registro diário de quanto tempo você passa na frente da tela da TV (e do celular) e então avalie o que poderia estar fazendo em vez disso.

2. Ocupados demais

Desperdiçamos tempo quando nos ocupamos demais. É verdade. Ficamos ocupados em excesso indo de um lado para o outro, fazendo isto e aquilo, dizendo sim para todas as oportunidades em nosso caminho. Com frequência, porém, não fazemos nada disso bem, pois, às vezes, usamos o excesso de ocupação como desculpa para evitar fazer o que importa de verdade. Nossos esportes, atividades extracurriculares, *hobbies* e listas de tarefas nos impedem de investir em Deus e fazer coisas que causam impacto eterno?

Pense no que você está fazendo. Está fazendo bem? É algo que durará? Isso importa no longo prazo? Distrai você de algo mais importante? Se a resposta para qualquer uma dessas perguntas for sim, então talvez você precise se afastar disso — ou não escolher fazer essa atividade. Ter uma vida sobrecarregada não significa uma vida que causará impacto.

3. Desvalorização dos minutos

Mil, quatrocentos e quarenta: esse é o total de minutos que temos por dia. Cada um deles é um dom precioso de Deus. Como você os tem usado?

Conforme já mencionei anteriormente, Jim Elliot é um de meus heróis pessoais. Algo que ele entendia bem era o valor de um minuto. Quando universitário, ele começava todos os dias lendo a Bíblia de maneira intencional. Com o aumento de sua carga de trabalho, percebeu que precisava mais do que nunca de tempo na Palavra. Ele lia o Antigo Testamento pela manhã, Salmos ao meio-dia e o Novo Testamento à noite. Depois da leitura, ele orava e, para Jim, a oração era uma prática constante. Sua esposa, Elisabeth, escreveu o seguinte acerca dessa época: "Ele orava enquanto caminhava para tomar café da manhã no *campus* ou enquanto aguardava na fila do refeitório para jantar. Um instante aqui e outro ali do dia eram dedicados à oração [...] ou à memorização de versículos bíblicos que ele levava consigo, guardados em pequenos cartões dentro do bolso".[8] Ele se enchia da presença e da Palavra de Deus *a cada minuto do dia*. Era até considerado antissocial em algumas ocasiões, pois muitas vezes escolhia dedicar o tempo de almoço a suas listas de pedidos de oração e cartões com textos bíblicos, em vez de ficar com os amigos. Enquanto isso, recentemente eu deitei no sofá com meu almoço para assistir mais uma vez a minhas cenas preferidas de *O rei do show*. Fica claro que ainda estou aprendendo essa lição.

Como seria nossa vida se seguíssemos o exemplo de Jim? Se valorizássemos os minutos a mais que temos e os usásse-mos para orar, memorizar as Escrituras, servir nossos familiares e irmãos, em vez de automaticamente conferir o celular quando nos sentimos entediados?

144 • PAIXÃO RADICAL

Valorize cada minuto, pois os minutos formam horas, as horas formam dias, os dias formam anos e, por fim, a vida inteira.

4. Sem descanso

Ao mesmo tempo, precisamos compreender o valor do descanso. A maioria das pessoas está em desequilíbrio no que se refere ao percentual de descanso *versus* trabalho. Há quem seja extremamente *workaholic* e nunca dedica tempo para espairecer e se revigorar. Outros vão para o outro lado radical e preenchem os dias com recreação e busca por diversão. Nada disso faz parte do plano de Deus. Podemos valorizar os minutos de nosso dia sabendo *quando* e *como* descansar bem. A autora Jaquelle Crowe Ferris diz em seu livro *This Changes Everything* [Isso muda tudo]:

> Há uma forte distinção entre preguiça e descanso. Preguiça é o tempo egoísta gasto em transgressão dos mandamentos divinos. É deixar-se absorver pelo eu e permanecer ocioso, quando somos chamados para trabalhar. O descanso, em contrapartida, é um método dado por Deus de adoração que nos permite renovar a mente e o coração. A preguiça é negativa, mas o descanso é muito, muito positivo.[9]

O descanso, quando em equilíbrio com as intenções divinas, é uma ferramenta importante que pode acabar nos ajudando, na verdade, a desperdiçar menos tempo. Quando me sinto exausta e sobrecarregada, não consigo reconhecer meu impacto pessoal. Faço tudo mais ou menos por estar cansada. Mas quando separo tempo para descansar, tenho energia — física, mental, emocional e espiritual — para realizar bem a obra à minha frente. O descanso nos ajuda a causar maior impacto, pois nos dá forças para continuar trabalhando bem.

5. Foco no eu

Desperdiçamos tempo quando vivemos para *nós*. Quando o objetivo principal de cada dia é realizar o que *nós* queremos fazer. Você quer que sua vida tenha importância? Viva com o objetivo de dar glória a Deus e servir os outros.

Às vezes, ficamos tão presos na ideia de precisar fazer coisas grandiosas para Deus que acabamos nos esquecendo do serviço de maior impacto, que é amar, orar e servir os outros. O não desperdício de nossa vida começa com a fidelidade. O impacto de nossa vida não é mensurado pelo número de coisas impressionantes que fazemos, mas, sim, por nossa fidelidade diária. Um dos maiores desperdícios de tempo acontece quando vivemos com o objetivo único de glorificar e agradar o eu, e uma das maiores mudanças de vida está em viver para glorificar a Deus e servir as pessoas. Viver bem começa com amar bem — primeiro a Deus, depois os outros.

Viver é Cristo

Até pouco tempo atrás, um versículo da Bíblia sempre me deixava confusa. Filipenses 1.21 diz: "Para mim, o viver é Cristo, e o morrer é lucro".

Isso não fazia sentido para mim. Se morrer é lucro, o mais correto não seria que viver é... *prejuízo*? Para minha mente de escritora, gramaticalmente correta, o positivo do *lucro* deveria ser contrastado com o negativo do *prejuízo*.

Mas Paulo não pensava assim. Ele disse que viver é *Cristo*.

Nos versículos em volta dessa célebre declaração, ele se explicou, dizendo que, embora preferisse estar com Cristo, sabia que ainda precisava viver e usar a própria vida para servir a Deus. Ele entendia o quanto sua vida era valiosa.

146 • PAIXÃO RADICAL

Compreendia o que significava não desperdiçar a própria vida.

No versículo acima, Paulo declarou: "de modo que Cristo seja honrado por meu intermédio, quer eu viva, quer eu morra" (Fp 1.20).

Foi então que uma ideia ganhou espaço em minha mente. Paulo não estava depreciando o valor da vida quando disse que morrer é lucro, mas, sim, enfatizando seu significado.

Por séculos, eruditos e filósofos têm debatido e ponderado sobre a pergunta: "Qual é o propósito da vida?". A resposta já está registrada nas Escrituras. O propósito da vida é viver para Deus, conhecê-lo, amá-lo e compartilhar seu amor com os outros.

Em outras palavras, viver é uma oportunidade: *Cristo* é a oportunidade. Morrer é lucro: *Cristo* é o lucro. Logo, quer vivamos, quer morramos, giramos em torno de Cristo. É para ele que vivemos. É por ele que devemos estar dispostos a morrer e com quem estaremos para sempre na eternidade. Se vivermos assim, com intencionalidade e propósito, buscando-o a cada passo do caminho, não correremos o risco de desperdiçar nossa vida. Perdê-la, talvez. Mas desperdiçá-la, nunca.

O mundo não entende isso. Algumas pessoas podem dizer que estamos desperdiçando a juventude — e a vida — ao não nos conformar com as normas culturais. Mas se a cultura diz que viver por Jesus é desperdiçar minha vida, então não consigo pensar em um chamado mais elevado do que "desperdiçar a vida" pela causa de Cristo.

Jeremiah Thomas entendia isso. Mesmo sendo objeto de zombaria e insultos por viver por Jesus, ele não sucumbiu à pressão. Muito embora seu corpo estivesse em colapso, seu espírito e sua fé permaneceram intrépidos.

Ele viveu radicalmente por Cristo porque Cristo era a oportunidade de sua vida. A morte pode até ser lucro, mas, até seu último suspiro, Jeremiah estava comprometido em não desperdiçar um segundo sequer.[10]

Não temos garantia do amanhã. Tudo que temos é o hoje. Viva bem.

APROFUNDE-SE

1. O que chama sua atenção na história de Jeremiah? O que aprendeu com ela?
2. Como você acha que reagiria se soubesse quando sua vida terá fim? Esse conhecimento mudaria sua maneira de viver? Como?
3. Quais são as maiores fontes de desperdício de tempo em sua vida? Com qual das cinco formas de desperdiçar tempo você mais se identificou? Como pode começar a mudar isso hoje? Escolha uma ação e coloque-a em prática.
4. O que você acha da frase: "O propósito da vida é viver para Deus, conhecê-lo, amá-lo e compartilhar seu amor com os outros". Como essa mentalidade mudaria sua vida cotidiana?
5. O que você acha que "viver é Cristo" significa? Como pode colocar isso em prática de maneira diária?

11

Reformulação dos relacionamentos

Como Deus transforma suas relações

Minha irmã e eu temos um problema.

Aonde quer que vamos, as pessoas acham que somos gêmeas. No supermercado: "Vocês duas são gêmeas?". Na igreja: "Deixe-me adivinhar... Vocês são gêmeas?". Saindo do elevador: "Uau! Vocês só podem ser gêmeas!".

Não estou brincando. As pessoas parecem ter um fascínio incomum com a ideia de sermos gêmeas. Chegamos a pensar em mandar fazer camisetas com a frase: "Não, não somos gêmeas". Mas andar por aí com a mesma camiseta só aumentaria a chance de pensarem que somos gêmeas. Já aconteceu de acharem que eu era a Amanda, quando ela nem estava ali. Em um congresso, pouco tempo atrás, alguém que não conheço passou por mim no corredor e disse: "Oi, Amanda!". Eu apenas sorri e continuei a andar, pensando: "Isso é muito louco!".

Tem se tornado uma piada recorrente entre nós: irmãs, pseudogêmeas e melhores amigas. Sou grata por minha irmã e todos os relacionamentos preciosos que Deus me concedeu. Eles são uma bênção extraordinária, mas também podem ser um desafio enorme.

Problemas nos relacionamentos?

Sejamos francos. Estamos imersos em um mundo caótico, com uma vida caótica, e somos mais do que capazes de contribuir para esse caos — sobretudo no âmbito dos relacionamentos.

REFORMULAÇÃO DOS RELACIONAMENTOS • 149

Os relacionamentos nunca são fáceis. São complicados e confusos, pois são desenvolvidos entre pessoas pecadoras e problemáticas. Ninguém é perfeito. Logo, nenhum relacionamento é perfeito.

Até aqui, conversamos sobre como Cristo transforma nossa vida e como segui-lo de todo o coração. Parece ótimo na teoria, mas há muito caos no meio. São tantos detalhes e tantas minúcias que você pode estar se perguntando: "O que uma coisa tem a ver com a outra?".

Como seguir a Cristo muda nossos relacionamentos? Como namorar de maneira que honre a Deus? Como obedecer a Deus quando nossos irmãos mais novos nos enlouquecem? O que realmente significa "honrar os pais"?

Deus se importa com nossos relacionamentos. Ele criou a todos — pais e filhos, irmãos, amigos, avós, vizinhos, colegas de trabalho. E, claro, o mundo empolgante e tumultuoso de amor, namoro e casamento.

Todos os relacionamentos têm sua importância e vêm com o próprio conjunto de dificuldades, recompensas, provações e bênçãos. Em vez de enfocar cada tipo diferente, quero falar sobre quatro qualidades essenciais, que se revelam vitais em relacionamentos saudáveis que honram a Deus. Elas podem ser aplicadas a praticamente qualquer relacionamento em nossa vida e têm a capacidade de alterar drasticamente nossa perspectiva, a fim de que esta passe a apontar para Cristo.

1. Altruísmo

O capítulo 13 de 1Coríntios é celebremente conhecido como o "capítulo do amor" na Bíblia. Sempre que eu, uma solteira romântica e meio melosa, ouço a palavra *amor*, automaticamente penso nas emoções efusivas, grudentas e que fazem o coração bater mais forte que aparecem em minhas comédias românticas preferidas. Acho interessante que uma das definições mais conhecidas do amor não mencione nenhuma emoção. Aliás, todas as palavras usadas por Paulo em sua descrição são verbos — palavras de ação. As emoções parecem ficar totalmente de fora. Vamos dar uma olhada:

> O amor é paciente, o amor é bondoso. Não inveja, não se vangloria, não se orgulha. Não maltrata, não procura seus interesses, não se ira facilmente, não guarda rancor. O amor não se alegra com a injustiça, mas se alegra com a verdade. Tudo sofre, tudo crê, tudo espera, tudo suporta. O amor nunca perece.
>
> 1Coríntios 13.4-8, NVI

Todas essas qualidades podem ser resumidas em uma frase: "O amor não pensa primeiro em si".

De maneira mais direta: "Pare de pensar primeiro em si!".

Somos a geração *selfie*. Quer tenhamos consciência disso, quer não, crescemos com a mentalidade de que tudo gira ao nosso redor. Do seu jeito, abra a felicidade, obedeça a sua sede, porque você vale muito (para pegar emprestados alguns *slogans* publicitários).[1] Nossa cultura nos molda a pensar assim, então o que estou prestes a dizer pode até chocar.

Nem tudo tem a ver com você. E nunca teve.

Para ter relacionamentos saudáveis, focados em Deus, precisamos combater nossas tendências naturais e mentalidades culturais para superar o ídolo do *eu*.

É difícil, eu sei. O egoísmo está enraizado em nosso coração. Afinal, vivemos dentro de nós mesmos. (Pode parecer esquisito, mas continue comigo...) Por causa dessa proximidade extrema com nós mesmos, é difícil verdadeiramente ver outras pessoas. É preciso envidar esforços para sentir a dor do outro, pois já estamos sentindo a nossa. Não é fácil entender o ponto de vista dos outros, pois estamos muito ocupados analisando o nosso. É difícil compreender as emoções alheias, pois já estamos em um emaranhado imenso de sentimentos próprios.

Sim, é exatamente isso que o amor altruísta nos chama a fazer: olhar além de nós mesmos e enxergar — de verdade — os outros. Pode ser na forma de parar para ouvir quando um amigo está passando por dificuldades, em vez de simplesmente se afastar, ou trabalhar um turno a mais porque seu colega de trabalho está doente e precisa ir para casa.

Pode ser notar o quanto sua mãe parece cansada e agradecer tudo que ela faz, dedicando parte de seu tempo livre para ajudá-la. Pode assumir a forma de abrir mão da raiva quando seu irmão o magoa e perdoá-lo, em vez de guardar rancor. Ou notar a menina da escola que sempre é excluída e passar tempo com ela. Pode ser honrar seu futuro cônjuge e não se envolver em encontros casuais, mas ser intencional em seus relacionamentos com o sexo oposto, pois não quer mexer com as emoções alheias.

É amar quando não sentimos vontade. É doar quando não queremos. É abrir mão dos próprios desejos, não insistir no nosso jeito e estender a mão aos outros. São nessas pequenas áreas que o eu e o amor entram em conflito e fica difícil viver de forma altruísta. Mas são também nessas pequenas áreas que nosso amor é provado e se torna mais forte, mais semelhante ao de Cristo. São nelas que temos a capacidade de amar como Jesus.

A única forma de realizar isso é por meio do poder do Espírito Santo. Peça ajuda dele. Escolha o amor. Não o amor dirigido pelas emoções, piegas e extravagante da sociedade, mas o amor abnegado e transformador das Escrituras, que

152 • PAIXÃO RADICAL

consiste em uma escolha, não em um sentimento. A fim de viver para Cristo, precisamos parar de viver para *nós* mesmos.

2. Perdão

Se ser altruísta é difícil, dominar a arte do perdão é ainda mais complexo. Já fui magoada. Profundamente. Tenho certeza de que você também. Perdoar é abrir mão da raiva e da amargura, aprendendo a amar a pessoa que nos magoou assim como Cristo a ama. É uma das coisas mais difíceis que somos chamados a fazer. Mas é quando perdoamos que mais nos assemelhamos a Jesus.

Porque ele nos perdoou.

Recentemente, deparei face a face com a mágoa e falta de perdão em meu coração por alguém que havia me ferido. Eu não confiava mais nessa pessoa. Não sabia o que fazer com a mágoa em meu coração e, para ser franca, não queria encará-la. Tive medo de que ela me esmagasse. Mas Deus estava me pedindo que perdoasse.

Como lutei contra isso! Chorei. Implorei a Deus que me ajudasse. E então precisei deixar para lá. Ainda estou nesse processo. Mas não quero que minha mágoa se coloque entre mim e Deus, pois ele nunca permite que sua mágoa por meus atos se coloque entre nós. Em vez disso, ele foi até a cruz para demolir os obstáculos que meu pecado havia colocado no caminho.

As pessoas magoam umas às outras. Somos seres humanos falhos, com um coração pecador, capaz de provocar dor. Erramos diariamente, em grandes e pequenas áreas. O perdão e o arrependimento são requisitos constantes para relacionamentos saudáveis.

A amargura sufoca o amor. É um veneno que vai matando aos poucos nossos relacionamentos e pode acabar se colocando no caminho entre nós e Deus. Jesus assumiu uma posição radical em relação ao perdão. Ele nos orientou a amar os inimigos, abençoar quem nos amaldiçoa, fazer o bem a quem nos odeia e orar pelos que nos usam e nos perseguem (Mt 5.44). Não só falou sobre essas coisas, como também deu o exemplo. Com o coração partido até mesmo por aqueles que o odiavam e o pregaram na cruz, Jesus suplicou a Deus que os perdoasse (Lc 23.34). E ele nos perdoa diariamente.

"Ah, mas é claro, estamos falando de Jesus", pensamos. Mas lembre-se: Jesus não era apenas completamente divino, como também completamente humano. Se o perdão — abrir mão até mesmo das mágoas mais profundas — fosse impossível, ele não o teria ordenado. (Confira em Mt 18.21-35 a visão de Jesus sobre o perdão.)

Somente em Deus podemos encontrar poder para perdoar. Por nossa própria conta, somos incapazes de fazê-lo. Mas com Cristo é possível. Tudo começa quando pedimos sua ajuda. E então, mediante seu poder, partimos para a ação. Às vezes, o amor e o perdão são sentimentos que depois se transformam em ações. Na maior parte das ocasiões, porém, é o contrário: são ações que depois se transformam em sentimentos. À medida que escolhemos abrir mão da amargura, Deus nos preenche com seu amor e nos concede os sentimentos apropriados no devido tempo.

Não sei o que lhe vem à mente quando você pensa em perdão. Pode ser um irmão difícil ou um amigo que publicou nas redes sociais informações que você havia lhe dito em segredo. Mas creio que muitos de nós têm em mente mágoas bem mais sérias e profundas. Pode ser um adulto — ou até um colega — que abusou física ou sexualmente de você. Pode ser alguém que abusou psicologicamente de você ou fez *bullying*

154 • PAIXÃO RADICAL

com palavras e ações. Se esse for seu caso, lamento, de verdade. Quero deixar claro que perdoar quem fez o mal *não* significa deixar de responsabilizar a pessoa pelos atos que cometeu. Não me refiro a ficar em silêncio diante de abuso dessas naturezas. Perdão *não* é acobertar os pecados alheios e fingir que a ferida provocada não existe. Mas significa abrir mão do ódio e da amargura, entregando ambos a Deus. Tudo bem ficar com raiva e de coração partido pelas mágoas e injustiças que outros nos causam. No entanto, não é aceitável permitir que a raiva endureça nosso coração e seja um impedimento para nosso relacionamento com Deus.

Há amargura e falta de perdão em seu coração que prejudicam seus relacionamentos ou atrapalham sua caminhada com Deus? Eu o desafio a começar hoje o processo de abrir mão da mágoa. Não é fácil e não quero simplificar sua dor. Trata-se de um processo que começa pedindo a ajuda de Deus. Saiba que, por mais profunda que seja a ferida, Jesus entende. Sua dor o machuca também. E é isso que nos dá a habilidade de abrir mão da mágoa e perdoar de verdade.

3. Humildade

Vou mandar a real aqui. Nossa geração não é exatamente conhecida pela humildade. Há algo em ser jovem, no topo do mundo, com a vida inteira pela frente, que equivale a uma receita para o orgulho, com uma porção extra de arrogância.

Tenho lutado contra o orgulho. E como tenho! É sempre uma batalha, e o que tenho percebido é que o orgulho representa um dos maiores destruidores de relacionamentos. Há, porém, um remédio para ele, encontrado em Filipenses 2.3-4. Paulo estava escrevendo sobre ter união e ter a mesma mente na igreja e na comunidade. Então ele disse: "Não sejam egoístas, nem tentem impressionar ninguém. Sejam humildes e considerem os outros mais importantes que vocês. Não procurem apenas os próprios interesses, mas preocupem-se também com os interesses alheios".

Orgulho (ambição egoísta e arrogância) equivale a divisão. Humildade (da mente) equivale a união. E relacionamentos unidos são fortes.

O orgulho coloca o foco em nós mesmos. Quando somos orgulhosos e arrogantes, nós nos tornamos uma ilha e nos fechamos em nós mesmos. Tentamos ser os melhores, os maiores, os mais populares, os primeiros da turma ou, no mínimo, os melhores de nossa panelinha. O orgulho tem raízes na insegurança, e a insegurança provém do foco no eu.

A humildade, em contrapartida, põe o foco em Deus e nos outros. É prima da abnegação. Busca dar louvor a quem é devido: a Deus. Quando somos humildes, sabemos que precisamos dos outros e não podemos fazer as coisas sozinhos.

Leia um pouco mais de Filipenses e você encontrará nosso modelo de humildade: o próprio Jesus.

Tenham a mesma atitude demonstrada por Cristo Jesus.

Embora sendo Deus,
    não considerou que ser igual a Deus
    fosse algo a que devesse se apegar.
Em vez disso, esvaziou a si mesmo;
    assumiu a posição de escravo
    e nasceu como ser humano.
Quando veio em forma humana,
    humilhou-se e foi obediente até a morte,
    e morte de cruz.

Filipenses 2.5-8

156 • PAIXÃO RADICAL

Isso mostra que Jesus, que era completamente igual a Deus, se humilhou. Ele não se gabava. Sim, era plenamente Deus e "não considerou que ser igual a Deus fosse algo a que devesse se apegar". Seu objetivo não era receber louvores ou aplausos. A morte na cruz era a forma mais desprezada de execução, mas Jesus se humilhou a esse ponto. E, por causa de sua humildade, a unidade foi restaurada entre Deus e a raça humana. Mais uma vez, vemos que humildade equivale a unidade.

Assim como no caso do altruísmo e do perdão, a humildade só é possível pela força de Cristo. Quando estamos firmados em Deus, não precisamos provar quem somos para nos sentir amados ou aceitos, pois sabemos que já somos. Em seu livro *A fé na era do ceticismo*, Timothy Keller resume isso bem na declaração a seguir:

> Quando vemos Jesus se movendo em nossa direção e nos envolvendo com seu amor infinito, abnegado, somos convidados a colocar nossa vida sobre um alicerce totalmente novo. [...] Então não sentimos mais necessidade de nos provar para os outros. Não usamos os outros para inflar nosso senso frágil de orgulho e valor próprio. E ainda seremos capacitados a nos aproximar dos outros, assim como Jesus se aproximou de nós.[2]

4. Pureza

Chegou o segmento que todos vocês estavam esperando: a parte dos relacionamentos românticos. Por mais fascinados que sejamos com esse tema, também é uma área em que nossa carne entra em cena com toda força. Hoje mesmo, pela manhã, eu estava conversando com uma moça que queria argumentar comigo a favor do flerte. Ela disse que a Bíblia não fala nada sobre flertar. É verdade. Mas fala sobre pureza.

Esse é o grande pilar que deve conduzir nossos relacionamentos com os rapazes e as moças que cruzam nosso caminho. Pureza na mente. Pureza nas ações. Pureza no corpo. Pureza em todas as nossas interações, sejam elas relacionamentos românticos ou não.

A pureza começa no coração. Se o coração não estiver alinhado, nossas ações não terão chance alguma. Tudo está intimamente ligado ao respeito. Se respeitarmos as pessoas ao nosso redor, desejaremos tratá-las com honra e pureza. Tomaremos cuidado para garantir que nossas interações são puras e preservaremos a mente, a fim de que nossos pensamentos sejam honrosos. O altruísmo entra em cena mais uma vez. Somos responsáveis por guardar não só a nossa pureza, mas também por responder pela pureza da outra pessoa. A pureza é importante para mim porque Jesus é importante para mim. Não quero descobrir um dia que eu estava tão interessada em satisfazer meus desejos pessoais que acabei ferindo meus irmãos em Cristo. É por isso que luto para ser pura. Por mim, mas por eles também.

Conheço o tamanho dessa luta. Já lutei contra pensamentos impuros, desejos não realizados, relacionamentos confusos e coração partido. Seria mais fácil se Deus tivesse nos dado um guia passo a passo de como lidar com nossas emoções, aderir à pureza e honrá-lo. Mas creio que parte do motivo para ele não ter nos deixado um livro de regras para relacionamentos é seu desejo de que o busquemos acima de tudo.

A razão para haver tanta confusão e impureza em nossos relacionamentos é que, em nossa sociedade, há um excesso de amor, mas uma falta do amor cristão puro. A paixão passageira permeia nossa sociedade, mas isso não é amor.

O tipo de amor de que os relacionamentos piedosos necessitam é aquele que respeita e guarda a pureza, evitando

158 • PAIXÃO RADICAL

intencionalmente as situações em que a tentação pode surgir. Rapazes, por favor, amem as moças a seu redor o suficiente para se dedicar a proteger e guardar o coração delas. Meninas, amemos os jovens que conhecemos como irmãos em Cristo, em primeiro lugar e antes de mais nada.

Peça forças a Deus para escolher a pureza. Busque-o clamando por sabedoria acerca de como agir. Busque-o quando for difícil esperar e ter paciência. Busque-o quando souber que sua atitude está equivocada e você errou. Busque-o quando não compreender suas emoções. Afinal, foi ele quem projetou os relacionamentos e sabe como eles devem funcionar. E, acima de tudo, busque a verdadeira pureza de coração, desenvolvida por meio do amor intenso por Cristo.

Um comentário sobre a amizade

Uma das coisas mais extraordinárias acerca dos relacionamentos é que Deus pode usá-los para enriquecer nosso relacionamento com ele. Você já conheceu alguém tão gentil, genuíno e cheio do amor de Cristo que saiu de perto da pessoa pensando: "Uau! Eu quero ser assim!"? Eu já! Sempre me sinto desafiada e inspirada quando interajo com gente assim. Seu testemunho é extraordinariamente poderoso e influente.

Infelizmente, o contrário também pode ser verdadeiro. Em vez de nos atrair para perto de Jesus, as pessoas podem (mesmo que sem ter essa intenção) nos afastar de Deus. Por isso é tão importante demonstrar sabedoria e cuidado em relação a quem escolhemos para ser nossos melhores amigos, pois a influência deles sobre nós será forte. Acredito de todo o coração que somos chamados a repartir nossa fé e até fazer amizade com não cristãos e cristãos descompromissados, a fim de dar testemunho. Contudo, para que nos aproximemos de Cristo, nossos amigos mais próximos, do coração, devem ser pessoas fortes na fé, capazes de nos fortalecer e edificar — e vice-versa.

Ao longo dos anos, já precisei me afastar de amizades que estavam danificando meu relacionamento com Cristo. Percebi mudanças em minha vida por causa da influência dessas pessoas e sabia que não era a vontade de Deus. Eu não me considerava melhor do que elas de maneira nenhuma, mas sabia que não iria crescer se permanecesse naquele círculo de amizades. Em contrapartida, tenho uma amiga chamada Tabitha que me inspira a amar mais a Deus e tem me ajudado a crescer na fé.

Eu incentivo você a buscar amigos sábios e espirituais. Peça a Deus que coloque pessoas assim em sua vida. Caso sinta que um de seus amigos está enfraquecendo sua fé ou o levando a fazer concessões incompatíveis com seus valores, eu o desafio a refletir com sabedoria e em oração se permanecer no nível atual de intimidade é o que Deus quer de você. Os amigos podem erguer ou derrubar. Escolha amigos que o desafiem a ler a Bíblia, que orem por você e o inspirem a seguir a Jesus. Uma amizade assim pode ser um dos aspectos mais influentes de sua caminhada com Deus. Você jamais se arrependerá.

Relacionamentos conforme o plano de Deus

Os relacionamentos *são* confusos. E complicados. Mas há outra coisa nos relacionamentos das quais não podemos nos esquecer.

Eles são um presente maravilhoso de Deus.

Os relacionamentos se tornaram caóticos, complicados e dolorosos depois que o pecado entrou no mundo, mas Deus tem um plano melhor em mente. Em um mundo de divisões, inveja, *bullying*, ódio e raiva, Deus continua a ter uma visão melhor.

PAIXÃO RADICAL

Trata-se de uma visão de unidade e altruísmo, de amor e bondade. Temos vislumbres desse caminho superior quando decidimos colocar Jesus em primeiro lugar em nossos relacionamentos. Um dia, tudo passará por completo quando Jesus voltar, mas, até lá, continuaremos a criar pequenos pedaços do céu neste planeta quando oferecemos graça em vez de ira, perdão em vez de ódio, pureza em um mundo de impurezas.

Quando separamos tempo para amar, em vez de julgar. Quando nos sentamos com um amigo e oferecemos os ouvidos para escutar e o ombro para chorar. Quando honramos nossos pais e oramos pelas pessoas à nossa volta. Quando deixamos nosso ego de lado e vivemos com tudo por Cristo.

Se escolhermos esse estilo de vida radical, seremos exemplos vivos do poder de Cristo, ecos daquele que morreu por nós, a pulsação do amor de Jesus em ação.

Não é nada fácil, sem sombra de dúvida. É necessário tempo e sacrifício. É preciso muito amor e talvez algumas lágrimas. Mas é o tipo de amor que o mundo necessita ver. O amor de Cristo em nós.

APROFUNDE-SE

1. Avalie-se em cada uma das quatro qualidades essenciais de um relacionamento saudável. Em uma escala de 1 a 10, como você está se saindo em cada uma? (1 seria terrível e 10, excelente.) Qual é a mais difícil? Por quê?

2. Por que, a seu ver, o altruísmo é um dos aspectos mais importantes de um relacionamento saudável? Como você pode colocar em prática o altruísmo hoje mesmo?

3. Pense na última vez que você se magoou. Já perdoou a pessoa que o feriu? Por que sim ou por que não?

4. No que se refere aos relacionamentos românticos, qual é o maior desafio que você enfrenta? Busque a Deus nesse desafio e peça que o ajude a amar assim como ele ama.

5. Em sua opinião, por que as amizades podem ser tão poderosas? Você já teve um amigo que o aproximou de Deus? Já teve um amigo que o levou a fazer concessões indesejáveis?

12

Redes sociais, TV, tecnologia — ai, ai, ai!

Dê a Deus o controle de suas redes e entretenimento

Você já parou para pensar quanto tempo de nossa vida é dominado pela tecnologia e pelos meios de comunicação?

Temos dezenas de aplicativos no telefone que nos ajudam a manter contato com as pessoas, economizar dinheiro e cuidar da saúde. Usamos o computador para trabalhar e jogar. Ligamos a televisão para assistir a programas, noticiários, nos divertir e instruir. Ter uma conta em uma rede social já foi comparada a ter um emprego em tempo integral, pois conferimos nossos aparelhos dezenas de vezes ao dia.

Isso se aplica em especial aos adolescentes. Somos a iGeração. Nunca conhecemos outra vida. Os meios de comunicação são parte inerente de nossa existência, como comer, dormir e respirar. Nem pensamos a esse respeito. Simplesmente fazemos.

O fato de ocupar uma parte tão grande de nossa vida significa que precisamos ser mais intencionais e cuidadosos do que nunca a fim de usar os meios de comunicação com sabedoria, em nosso papel de seguidores de Cristo. À medida que cresço em minha caminhada com Deus, tenho me perguntado: "Como posso adorar a Deus quando estou assistindo à televisão? Como eu o sirvo quando navego pelas redes sociais? Deus se importa com minha 'vida *on-line*'?". Em nosso mundo saturado pelas mídias virtuais, sem dúvida depararemos com questionamentos dessa natureza enquanto buscamos honrar a Deus.

Duas mentiras sobre as mídias sociais nas quais acreditamos

Antes de prosseguir, vamos desbancar duas mentiras nas quais acreditamos, no que se refere a coisas como o tempo que passamos em nossos perfis de redes sociais e assistindo a nossos programas preferidos de televisão.

MENTIRA n° 1: *É só entretenimento. Isso não me afeta.*
VERDADE n° 1: *Tudo que colocamos à nossa frente nos afeta.*

Ontem, uma cristã que eu conheço tentou defender seus motivos para ler uma série de livros claramente antibíblicos (mas culturalmente populares). Sua justificativa? É apenas entretenimento.

Creio que todos concordamos que existem alimentos saudáveis e prejudiciais e que aquilo que comemos afeta nossa saúde. Assim, por que é incompreensível pensar que aquilo que colocamos diante de nossos olhos e dentro do cérebro afeta nossa saúde mental, emocional e espiritual? Achamos que é "apenas entretenimento", mas o entretenimento é uma força poderosa. Somos cativados pela história. Entramos no ritmo e na pulsação. Rimos dos *memes* engraçados publicados nas redes sociais. O entretenimento tem a capacidade de nos levar para um mundo diferente, mudar nosso humor e nos fazer experimentar coisas novas e empolgantes.

E achamos mesmo que ele não nos afeta?

No livro *A Practical Guide to Culture* [Guia prático para a cultura], Brett Kunkle e John Stonestreet compartilham alguns argumentos usados pela maioria das pessoas acerca do entretenimento: "O propósito da música, dos filmes e dos programas de televisão é promover diversão, recreação e lazer.

O entretenimento diverte, não tenta mudar o mundo. Ou ao menos essa é a mentira cultural que nos contam".[1]

Você acha que está sendo afetado?

Você já chorou em um filme? Deu risada? Já compartilhou um vídeo engraçado com amigos e se pegou rindo dele horas depois de assistir?

Você é afetado.

Todos somos. As mídias sociais são um dos maiores dominadores culturais que existem.

A mentira de que é "apenas entretenimento" não funciona. Precisamos tomar cuidado com o que assistimos, ouvimos, lemos, olhamos e seguimos. Precisamos saber discernir se algo nos afeta para o bem ou para o mal e se glorifica a Deus ou transmite mensagens antibíblicas. Mesmo se nossos amigos acharem que não tem problema, precisamos discernir por conta própria, com a orientação das Escrituras.

MENTIRA n° 2: *Todos estão assistindo (ou ouvindo, lendo, seguindo), então eu também posso.*

VERDADE n° 2: *Os seguidores de Cristo não acompanham a multidão.*

Nas áreas ligadas aos meios de comunicação, parece que estamos acompanhando as multidões em relação àquilo que é tendência e popular. Isso se revela em como sentimos vontade de assistir ao lançamento recomendado por um amigo e em nosso grande interesse em acompanhar a vida das celebridades. Temos um quadro terrível de FOMO [acrônimo em inglês para *fear of missing out*, "o medo de ficar de fora"]. Mas do que exatamente tememos ficar de fora?

Nossa sociedade como um todo está trilhando um caminho que eu não quero seguir. Isso inclui as escolhas de mídia.

Minha mãe gosta de me lembrar que é preciso tomar cuidado com tudo aquilo que uma multidão segue, isto é, com as coisas que o mundo parece aprovar e aplaudir. Jesus disse que não somos deste mundo e que o mundo nos odiará, pois vivemos de maneira diferente. E quando vivemos de maneira diferente, não podemos amar aquilo que o mundo ama (Jo 15.18-19).

Isso inclui por completo as escolhas que fazemos em nosso uso dos meios de comunicação e do entretenimento. Os seguidores de Cristo não seguem a multidão. Não aceitamos aquilo que a maioria aceita. Só porque outras pessoas fazem, não significa que é certo. Muitas vezes, é bem o contrário: significa que é errado. Precisamos pensar muito e com esforço, aprofundar-nos nas Escrituras e tomar decisões de entretenimento que estejam de acordo com aquilo que Deus pensa e diz.

O filtro da mídia

Ao mesmo tempo que devemos ser sábios e usar de discernimento, também não queremos ser legalistas. Uma abordagem legalista poderia incluir a proibição de todas as redes sociais, de filmes que não sejam abertamente cristãos, de músicas que não sejam hinos ou até jogar fora a televisão e o celular. Deus pode chamar alguns para fazer isso caso alguma dessas coisas atrapalhe o relacionamento com ele, mas não necessariamente pedirá o mesmo para todos nós. É aí que entra o discernimento.

Há determinados tipos de produções culturais e entretenimento que não são explicitamente cristãos, mas que eu amo. Podem até não ter uma mensagem cristã, mas contanto que não prejudiquem meu testemunho como seguidora de Cristo, nem causem dano a meu relacionamento com Deus, posso desfrutá-los com moderação.

166 • PAIXÃO RADICAL

Amo comédias românticas fofas e inocentes (mesmo que algumas sejam extremamente melosas!), tenho vários programas britânicos preferidos, amo dramas bem feitos e sou *nerd* o suficiente para adorar filmes antigos em preto e branco. Busco usar de discernimento em minhas escolhas — de músicas, livros e como acesso também as redes sociais.

Agora é que vem a parte delicada, que pode ser confusa. Não consigo lhe dizer o que você deve ou não assistir, ouvir, ler ou seguir. Algumas coisas são claramente condenáveis, mas outras já são mais difíceis de determinar. Para ajudá-lo com suas decisões, criei um filtro de mídia com cinco perguntas que o ajudarão a determinar se suas escolhas estão ajudando ou prejudicando sua caminhada com Deus.

1. Por que essa escolha de entretenimento?

Em todos os meios de comunicação, é importante entender *por quê*. Por que estamos nas redes sociais? Por que é necessário postar isso? Por que estamos assistindo a determinado filme, *show* ou ouvindo certa música?

É porque achamos a produção cultural interessante e animadora? Por que todos os nossos colegas estão fazendo? Por que nos levará a nos encaixar no grupo? Isso nos faz voltar à reflexão de pensar nas produções culturais e no entretenimento usando as lentes das Escrituras.

Às vezes, nossas justificativas podem ser válidas, mas não apropriadas. Sim, é possível que achemos o programa divertido e tenhamos uma justificativa bem clara, mas isso não muda o fato de ser inapropriado e contradizer as Escrituras. Sim, talvez seja algo hilário de publicar nas redes sociais, mas não muda o fato de que a imagem mostra pele demais e a legenda ultrapassa os limites da pureza. Pode parecer duro, mas precisamos ordenar com clareza nossas justificativas para garantir que elas também estejam alinhadas com a Palavra de Deus.

2. Isso controla minha mente e meu tempo?

Até mesmo coisas boas podem se tornar obsessões, e se algo toma posse de nossa mente, já não importa o quanto seja bom ou divertido. As obsessões nos distraem de Cristo e de nosso propósito de viver por ele. Não podemos viver para Deus de todo o coração se ficarmos obcecados em criar um Instagram perfeito ou acompanhar cada passo de nosso *youtuber* preferido. Se estiver tomando conta de nossa mente, não há dúvida de que também está controlando nosso tempo. E, conforme já conversamos, os meios de comunicação podem ser um enorme desperdício de tempo se não tomarmos cuidado.

Faça a si mesmo a seguinte pergunta: isso controla minha mente e meu tempo?

3. Prejudica minha cosmovisão?

A mídia transborda de mensagens sutis. Aqueles que produzem conteúdo sabem o quanto isso é poderoso. Música e programas de televisão promovem uma cultura de sexo sem compromisso que não valoriza o comprometimento, a integridade e a abstinência. Celebridades promovem a agenda LGBTQ, defendem o direito ao aborto e uma cosmovisão da fluidez de gêneros. Os usuários das redes sociais publicam suas opiniões para o mundo inteiro ver, mas boa parte do que defendem não está alinhado com o que diz o Senhor. Aumentaram os casos de suicídios por causa do *bullying* virtual,[2] do excesso de tempo na frente das telas,[3] da desvalorização da vida em muitos livros, filmes e canais do YouTube[4] e porque lutamos contra a depressão, bem como contra sentimentos de desesperança e insignificância, mais do que qualquer outra geração. Esse ciclo desesperador precisa cessar.

Certa tarde, enquanto cuidava de dois garotinhos como babá, eles ligaram a televisão e colocaram no canal Cartoon Network. Em poucos minutos, fiquei chocada com as mensagens sutis (e não tão sutis assim) em exibição. Luxúria, ganância, ira, vingança, egoísmo e diversas outras mensagens serviam de alimento para a mente de um público cativo e sem consciência desse fato.

Já me senti da mesma maneira sentada na sala escura do cinema, me remexendo no lugar enquanto passam os *trailers*. Mesmo que eu esteja ali para assistir a um filme cristão e mesmo que as prévias não sejam "tão ruins assim", às vezes consigo literalmente sentir a presença de uma força maligna e demoníaca proveniente da tela. Pode ter a certeza de que há mais em jogo do que o olho vê. Satanás usa os meios de comunicação, e nós não lutamos apenas contra carne e sangue (Ef 6.12). Com esse tipo de mensagem sendo oferecido, dos canais de desenho animado à tela de cinema, precisamos ser vigilantes e implacáveis ao avaliar o que é colocado à nossa frente.

Não podemos ser descuidados em relação às cosmovisões e opiniões que permitimos em nossos telefones, fones de ouvido e televisores. Não podemos dizer simplesmente "Eu dou conta" ou "Não é tão ruim assim". Como o famoso sapo na panela, estamos nos dessensibilizando com essas mensagens, pois estão em todos os lugares ao nosso redor, infiltrando-se aos poucos. E não precisam ser mensagens escrachadas para ser poderosas. Com muita frequência, estão escondidas por trás da superfície.

Não devemos ser ignorantes, mas também não podemos permitir que nosso acesso a produções culturais e formas de entretenimento se sature com as opiniões do mundo. Fazê-lo permite que as opiniões do mundo nos impregnem.

4. Contradiz as Escrituras?

A Bíblia não diz nada específico acerca de redes sociais e televisão. Mas preciso deixar claro que ela tem muito a dizer acerca de como devemos viver. Por isso, essa é a pergunta mais importante da lista.

A Bíblia pinta muitos retratos vívidos entre a luz e as trevas. Um deles se encontra em Gálatas 5.19-21. Vejamos o que ela tem a dizer:

> Quando seguem os desejos da natureza humana, os resultados são extremamente claros: imoralidade sexual, impureza, sensualidade, idolatria, feitiçaria, hostilidade, discórdias, ciúmes, acessos de raiva, ambições egoístas, dissensões, divisões, inveja, bebedeiras, festanças desregradas e outros pecados semelhantes.

Você leu o que eu acabei de ler? Imoralidade sexual, ódio, ciúmes, acessos de raiva, inveja? Uau, parece que Gálatas acabou de escrever o roteiro de um programa de televisão que vi por alguns minutos no consultório médico um dia desses.

Veja agora o outro lado, Gálatas 5.22-23:

> Mas o Espírito produz este fruto: amor, alegria, paz, paciência, amabilidade, bondade, fidelidade, mansidão e domínio próprio. Não há lei contra essas coisas!

Diferença absoluta, não é mesmo? Veja bem, não é necessário assistir àqueles programas horrorosos de baixo orçamento da televisão para consumir produções culturais que contradizem as Escrituras. Está por toda parte e, com frequência, é extremamente popular. Nosso ponto de referência não são os versículos 20 e 21 (isso fica claro), mas, sim, os versos 22 e 23. Esses padrões, por sua vez, são mais difíceis de mensurar. Não devemos ler rapidamente os dois primeiros versos antes de publicar algo nas redes sociais e pensar: "Ok, não há homicídio, embriaguez, nem idolatria nessa publicação. Então creio que está tudo bem!". Em vez disso, devemos pensar: "Isto é amável? Revela bondade? Retrata a fidelidade de Cristo? É manso? Estou demonstrando domínio próprio?".

Um adendo: é importante reconhecer que há uma diferença entre algo que *retrata* o pecado e algo que o *glorifica*. O pecado está por toda parte em nosso mundo. É impossível fugir da realidade da vida e nos fechar em uma bolha sem pecado. Podemos aprender verdades profundas e lições biblicamente corretas por meio dos erros de outros e das consequências enfrentadas. O detalhe é se o erro é retratado como errado ou se é exaltado como exemplo a ser seguido. Do primeiro, é possível aprender; já o segundo, nos influencia.

Isso se aplica aos filmes aos quais assistimos, às músicas que escutamos e a tudo e mais em nossa vida. Não significa que todas as expressões culturais necessitam ter uma mensagem explicitamente cristã, mas, sim, que não rasgam as mensagens das Escrituras. A pergunta é: isso me afasta de Cristo ou confunde o que ele está me ensinando? Glorifica o pecado como algo a ser imitado ou adverte contra as consequências e me direciona para a verdade?

Quando estiver em dúvida em relação a uma produção cultural, pergunte-se: ela contradiz as Escrituras?

5. É edificante e puro?

Filipenses nos apresenta outra lista a seguir. Ela nos desafia a levar em conta aquilo em que pensamos:

REDES SOCIAIS, TV, TECNOLOGIA — AI, AI, AI! • 171

Por fim, irmãos, quero lhes dizer só mais uma coisa. Concentrem-se em tudo que é verdadeiro, tudo que é nobre, tudo que é correto, tudo que é puro, tudo que é amável e tudo que é admirável. Pensem no que é excelente e digno de louvor.

Filipenses 4.8

Paulo orientou os filipenses a filtrar tudo por meio dessa lista. Embora eu não ache que os filipenses estivessem debatendo sobre tecnologia, podemos aprender muito com esse filtro. Nossas publicações nas redes sociais são nobres e justas? As coisas a que assistimos quando nos deitamos no sofá em frente à TV são puras e de boa fama? São virtuosas e dignas de louvor? Não conseguiremos meditar em coisas puras e santas se consistentemente enchermos a mente do que é sujo e impuro. É impossível.

Há algo em que quero me concentrar aqui. Mesmo que seja totalmente óbvio, sinto que não posso ignorar o assunto. Trata-se de uma das formas de mídia mais sombrias, com consequências custosas e duradouras. Estou falando da pornografia.

Nem é preciso parar para pensar a fim de ter a certeza de que a pornografia não passa no filtro de Filipenses. Mas é uma área na qual cada vez mais pessoas têm dificuldades, em especial adolescentes. E moças também, não é um problema exclusivo entre os rapazes. Já conheci jovens mulheres que lutam contra esse vício.

Não conheço sua história de vida em relação a esse ponto. Talvez você se sinta absolutamente chocado pela pornografia, ou, quem sabe, a relação de vício que acabei de descrever se parece muito com sua experiência atual. Mas eu sei que a pornografia não tem absolutamente lugar nenhum na vida de um seguidor de Cristo comprometido. E muito embora as pessoas achem que é uma questão pessoal, que não as afeta, nem um vício, ou que "essa será a última vez", tudo isso é mentira.

O pior de tudo é que a pornografia alimenta uma indústria terrível: o *tráfico sexual*. Quase cinco milhões de pessoas são escravizadas e abusadas nessa indústria, e mais de um milhão de crianças são vítimas todos os anos.[5] Ao ver pornografia, estamos abusando dessas vítimas e privando-as de sua dignidade. Precisamos lutar contra esse horror, em vez de alimentá-lo. E tudo começa quando dizemos não. Precisamos acordar para o fato de que é grave, tem consequências reais e duradouras, mais danosas do que jamais seríamos capazes de compreender.

Mas você pode se libertar.

Christopher Witmer, editor-chefe do TheRebelution.com, compartilha sua experiência de como se libertou da pornografia:

> Uma das maiores mentiras em que um seguidor de Jesus ressurreto pode acreditar é que não existe vitória completa sobre os pecados sexuais. [...] É possível que sempre lutemos contra a tentação, mas acredito de todo o coração que podemos andar em completa liberdade, chegando ao ponto de nem mesmo desejar a luxúria. Por que Jesus teria morrido, se sua morte não incluísse a vitória sobre o pecado? Deus perdeu o poder que ressuscitou Jesus dos mortos? [...] O poder de Jesus é forte. Sua graça é infinita. Sua vitória é completa. Se Jesus ressuscitou dos mortos, o evangelho também não teria poder para nos libertar dos pensamentos impuros?[6]

Esse é um jovem que conhece a luta. Ele já passou por isso. Mas também sabe que é possível se libertar, pois Cristo nos liberta do pecado. Por causa disso, mesmo que você já tenha enfrentado esse tipo de situação no passado, ou esteja enfrentando agora mesmo, não precisa se envergonhar no futuro.

Em Cristo, você é mais que vencedor e ele cobre sua vergonha com o próprio sangue.

Se essa tem sido sua batalha, por favor, procure alguém de confiança para conversar. Satanás quer que mantenhamos ocultas nossas lutas, pois ele pode ter poder sobre nós no escuro. Traga à tona. Conte a alguém. Desenvolva um sistema de prestação de contas. Busque aconselhamento e parta para a ação. Coloque filtros em seus aparelhos eletrônicos e designe pessoas para ter total acesso a seu celular e computador. Lute contra a injustiça da pornografia. Dê passos rumo à liberdade — por você *e* pelos escravizados — a fim de andar na liberdade que Jesus comprou na cruz.

Em toda nossa relação com a mídia, tenhamos como alvo a pureza.

Mídia do jeito certo

Eu sei que acabei de falar algumas coisas bastante contraculturais. Elas não são politicamente corretas, mas eu prefiro estar biblicamente correta.

Esse é nosso objetivo. Não é legalismo. Não é criar uma lista de coisas a fazer e outras a evitar. É simplesmente seguir Jesus.

Então devemos abolir todas as formas de mídia?

Não posso dar uma resposta única para todos. Em vez de sugerir uma abordagem legalista, incentivo uma abordagem contracultural. A mídia tem sido uma ferramenta para o mal nas mãos de muitos, mas não precisa ser. Romanos 12.2 diz: "Não se amoldem ao padrão deste mundo, mas transformem-se pela renovação da sua mente, para que sejam capazes de experimentar e comprovar a boa, agradável e perfeita vontade de Deus" (NVI).

PAIXÃO RADICAL

Estamos nos amoldando mais do que nos transformando? A mídia recebe mais nossa atenção do que a Palavra de Deus?

Jesus invade e muda cada parte de nossa vida, e nossas escolhas midiáticas não estão isentas desse pacote. Somos representantes de Cristo, e o uso que fazemos das mídias deve refletir isso.

Se escolhermos utilizar os meios de comunicação, que seja de maneira distinta do mundo. Para incentivar, em vez de desanimar. Para promover pureza, em vez de impureza. Para edificar, em vez de derrubar. Para focar os outros, em vez de nos concentrar em nós mesmos. Para sermos sábios e cheios de discernimento, sem medo de nos destacar da multidão.

APROFUNDE-SE

1. Quais são seus formatos de mídia preferidos? Eles atrapalham seu relacionamento com Cristo?
2. Em que mentiras você tem acreditado, no que se refere à mídia e ao entretenimento?
3. Você acha que Deus se importa com suas redes sociais e uso da tecnologia? Por que sim ou por que não?
4. Escolha duas de suas formas preferidas de mídia (por exemplo, um filme favorito, cantor etc.) e passe-as pelo filtro cultural. Faça a si mesmo as cinco perguntas e responda com honestidade.
5. Se não passaram pelo filtro, o que você fará a esse respeito? Como dar passos práticos para limpar sua vida das influências impuras da mídia?

Parte 5

A MISSÃO

13

Vá e fale

Precisamos espalhar essa revolução do amor

O nome dele era Pedro, mas todos o chamavam de "Papa Pete". Tinha 38 anos quando embarcou em uma jornada para descobrir o que faltava em sua vida. Desesperado e em busca de respostas, sua jornada o conduziu ao estacionamento de uma igreja e a um homem ousado o suficiente para abordá-lo.

Também o conduziu a Jesus.

Daquele momento em diante, a vida de Pedro mudou drasticamente. Eu não o conheci, mas ouvi história após história a seu respeito, contada por sua filha Jocelyn, amiga íntima de minha mãe.

Depois que Jesus cativou o coração de Pedro, seu objetivo de vida podia ser resumido em cinco palavras: *falar às pessoas sobre Jesus.* Por quarenta anos, ele fez aos outros aquilo que um homem fizera por ele. Pregou em celas nas prisões, plantou igrejas no Uruguai e, posteriormente, compartilhou o evangelho em um leito de hospital na Pensilvânia. Em todo e qualquer lugar, Pedro contava a quem pudesse sobre o Deus que o salvara.

Ele tinha o objetivo de compartilhar o evangelho com no mínimo uma pessoa por dia. O amor genuíno pelo próximo e sua paixão por Cristo o incentivavam dia após dia. Era um homem capaz de dar a roupa do corpo para outro. Certa tarde, em uma viagem missionária no Haiti, ele fez isso literalmente, tirando a camisa e doando para alguém que necessitava.

178 · PAIXÃO RADICAL

Enquanto caminhava pelas ruas, em busca de alguém com quem conversar, Pedro deparou com um homem sem camisa sentado à beira da estrada. Só havia uma coisa a se fazer: dar a camisa com que estava vestido, sentar-se e começar a falar de Jesus.

Alguns podem até zombar da insistência de Pedro em falar de Cristo. Podem dizer que ele era ousado demais ou que levava essa tarefa excessivamente a sério. Mas ele sabia que não era verdade. Deus o havia chamado para pregar o evangelho.

E convida cada um de nós a fazer o mesmo.

A Grande Comissão

Jesus nos deu uma missão. Ele nos equipou com o Espírito Santo, nos deu voz e nos mandou ir.

Antes de subir ao céu, Cristo nos deu um último desafio, uma tarefa final: "Vão ao mundo inteiro e anunciem as boas-novas a todos" (Mc 16.15).

Pense nisso por um instante. Deus nos confiou — *sim, nós mesmos!* — a missão de sermos mensageiros da maior notícia já ouvida: as boas-novas da salvação e da vida eterna. Conheço Deus hoje porque outras pessoas foram fiéis o suficiente para pregar o evangelho. Você conhece Deus hoje porque alguém também compartilhou as boas-novas com você.

Isso não lhe traz alegria?

Agora é nossa responsabilidade sair e compartilhar o evangelho. Há um debate nos círculos cristãos acerca de como fazer isso. Alguns defendem a abordagem sutil de "pregar o evangelho sempre e, se necessário, usar as palavras".[1] Outros têm "amizades missionárias". Outros ainda são mais ousados, como Pedro, e partilham o evangelho com qualquer um que esteja disposto a ouvir — e até com alguns não tão dispostos assim. Alguns vão para outros países, ao passo que há aqueles que vêm o próprio bairro como um campo missionário.

Deus pode usar todos esses métodos, mas, em suma, a definição de compartilhar o evangelho pode ser condensada nas cinco palavras que formavam o lema da vida de Pedro: falar às pessoas sobre Jesus.

Para isso, tudo de que você necessita é um testemunho da graça, o coração cheio de amor e uma voz ousada o bastante para falar.

Amor > julgamento

Em alguns períodos do verão, um grupo de pessoas pode ser encontrado nas esquinas de minha cidade. Eles seguram placas que dizem: "Arrependa-se ou pereça!" e "Você irá para o céu ou o inferno?". Pregam em voz alta para qualquer um que esteja passando e entregam folhetos com essas mensagens. Suas palavras têm o intuito de assustar as pessoas, para que entreguem a vida a Cristo por medo. Transformam o evangelho — as *boas notícias* — em uma mensagem motivada pelo medo de *péssimas notícias*.

O que dizem contém verdade: de fato, o arrependimento salva aqueles que estão morrendo espiritualmente e nós devemos refletir sobre a realidade do céu e do inferno. No entanto, deixa de fora a parte mais importante da história: *o amor de Jesus.*

Jesus nunca nos pediu que compartilhássemos o evangelho dessa forma. Sem dúvida, ele não agiu assim em seu próprio ministério. Não ficou pelas esquinas gritando palavras de condenação para as pessoas. Em vez disso, ia à casa delas e comia junto. Não recorria a táticas de medo e ameaças. Disse a uma mulher apanhada em adultério que ela estava perdoada, podia ir e não pecar mais. Não jogava na cabeça das pessoas

180 • PAIXÃO RADICAL

uma lista de regras; pelo contrário, repreendia os fariseus e os seguidores de regras hipócritas. Sim, proferia verdades duras e revelava áreas de pecado. Não media palavras. Desafiava a uma obediência radical. Mas amava genuinamente aqueles a quem abordava. Mateus 9.36-37 afirma: "Quando viu as multidões, teve compaixão delas, pois estavam confusas e desamparadas, como ovelhas sem pastor. Disse aos discípulos: 'A colheita é grande, mas os trabalhadores são poucos'".

Nós somos os trabalhadores, mas não creio que temos tanta compaixão da colheita quanto Jesus.

É aí que deve começar o compartilhamento do evangelho: com o amor. Se não amarmos, estaremos descaracterizando a mensagem. Se não tivermos amor, provavelmente não estaremos compartilhando coisa alguma.

Testemunho autêntico para principiantes

O testemunho autêntico começa com nosso relacionamento com Cristo. A única maneira de amar os outros o bastante para querer compartilhar Jesus com eles é transbordando do amor de Cristo. O amor a Deus está diretamente ligado ao nosso amor pelos outros. Nosso amor a ele nos leva a desejar que as outras pessoas também tenham a mesma experiência.

Tive uma conversa recente com minha irmã e ela me disse algo profundo: "Testemunhar é como apresentar pessoas para seu melhor amigo. Se Jesus realmente é seu melhor amigo, sentirá vontade de falar sobre ele com os outros".

Esse é o primeiro passo. O segundo é deixar que nosso amor por Deus e o amor dele por nós mude nosso jeito de enxergar as pessoas ao nosso redor. É ser movidos de compaixão, como Jesus, pelas "multidões" que conhecemos. É importar-nos, como Jesus, pela vida e alma dos outros.

Isso é parte vital de seguir a Cristo. E, honestamente, é também uma das partes mais difíceis. Implica nos colocar em segundo plano a fim de ver as pessoas da maneira que Deus as enxerga.

A menina da escola de quem ninguém gosta? Deus não a vê como rude, arrogante ou metida. Ele enxerga o coração por trás da máscara, com todas as suas dores, lutas e lágrimas. E anseia para que ela o conheça e tenha acesso a seu poder restaurador.

O homem que mora na casa em frente e está sempre irritado, reclamando? Deus não o considera ranzinza e mau. Ele enxerga seu passado. Vê sua mágoa e solidão e deseja transformar o futuro dele em cura e eternidade em sua santa presença.

Seja quem for, Deus enxerga cada ser humano como ele de fato é. Só vemos o que é externo, mas Deus enxerga o interior e, acredite ou não, ama as pessoas a despeito de tudo isso. Quer salvá-las a despeito de tudo isso. Assim como ama *você* a despeito de suas falhas e fragilidades. Assim como ofereceu a salvação a *você*.

Depois que entendemos o amor de Deus por alguém, queremos que a pessoa conheça o Deus que nos concedeu a graça que jamais merecemos. Todas as pessoas que encontramos têm a eternidade à frente, e somente a mensagem de Jesus pode redimir sua eternidade. Nós a compartilharemos? Demonstraremos amor por elas o bastante para nos importar? É preciso muita oração e ajuda de Deus e do Espírito Santo, mas é possível.

Isso leva ao passo três: compartilhar o amor.

O amor pode se manifestar de centenas de maneiras diferentes: orando com ou por alguém. Fazendo perguntas para conhecer a história de alguém. Ousadamente se posicionando

182 · PAIXÃO RADICAL

em prol da verdade e proclamando a boa-nova extraordinária da cruz. Permanecendo ao lado da pessoa com quem ninguém quer fazer amizade. Andando ao lado do abatido. Dando recursos para alguém que necessita: incentivo, finanças, alimento ou talvez apenas seu tempo. Compartilhando quem é o Jesus que o leva a fazer tudo isso e o torna diferente — e esse mesmo Jesus pode mudar a vida delas também. Lembre-se: a definição de partilhar o evangelho é simplesmente contar aos outros sobre Jesus e o caminho do perdão.

Você também deve manter em mente que é importante ser sensível à condução do Espírito Santo ao partilhar o evangelho. Não conhecemos a história de cada indivíduo que encontramos, mas Deus conhece. Ele sabe o que cada um necessita ouvir e como alcançar as pessoas. Se aprendermos a permanecer abertos à direção do Espírito Santo, seremos muito mais eficazes em nosso testemunho. Com algumas pessoas, você terá uma porta aberta para apresentar o evangelho de forma clara e verbal. Com essas pessoas, seja ousado o bastante para transmitir a história da salvação. Com todos, permita que sua vida fale dessa história. Conforme disse o evangelista Rodney "Gypsy" Smith: "Há cinco evangelhos: Mateus, Marcos, Lucas, João e o cristão. A maioria das pessoas jamais lerá os quatro primeiros".[2]

Busque a justiça (mas priorize o evangelho)

Algo que eu amo em nossa geração é nossa paixão pela justiça e em trabalhar para corrigir os males do mundo. Muitos de nós são guerreiros da justiça social que combatem o tráfico humano, a pobreza, a fome, o aborto e o racismo. Todas essas questões são importantes e devemos mesmo nos empenhar para ver mudanças.

Mas há um perigo ao qual às vezes temo sucumbir. Meu medo é que estejamos separando a proclamação do evangelho e a luta por justiça e igualdade em duas categorias diferentes. Elevamos uma em detrimento da outra, em vez de entender que ambas andam de mãos dadas.

É vital que nós, seguidores de Cristo, ergamos o bastão da verdade e trabalhemos para conter o mal que envolve o mundo. Há tanta fragmentação, dor e sofrimento que meu coração dói por causa disso. Creio que Deus também sente dor ao contemplar o sofrimento de sua criação. Quer saber mais? Acredito que o coração da igreja é chamado a sangrar e se partir diante dos oprimidos.

Em Mateus 25.34-36,40, Jesus nos deixou um desafio:

> Então o Rei dirá aos que estiverem à sua direita: "Venham, vocês que são abençoados por meu Pai. Recebam como herança o reino que ele lhes preparou desde a criação do mundo. Pois tive fome e vocês me deram de comer. Tive sede e me deram de beber. Era estrangeiro e me convidaram para a sua casa. Estava nu e me vestiram. Estava doente e cuidaram de mim. Estava na prisão e me visitaram". [...]
>
> E o Rei dirá: "Eu lhes digo a verdade: quando fizeram isso ao menor destes meus irmãos, foi a mim que o fizeram".

O coração de Jesus se volta para os feridos. Tanto que ele equipara servir *essas pessoas* a servi-*lo*. As crianças desnutridas e assoladas pela pobreza estão entre os menores destes meus irmãos. O feto inocente, que nem teve a chance de nascer, prestes a ser abortado, está entre os menores destes meus irmãos. A menina cruelmente escravizada e forçada todos os dias a vender o próprio corpo está entre os menores destes meus irmãos. O desabrigado nas ruas de sua cidade está entre os menores destes meus irmãos. A mãe solteira que mora na casa ao lado, com dificuldade para sustentar os filhos, está entre os menores destes meus irmãos.

Esse é o verdadeiro chamado ao amor e à justiça. Devemos alcançar os "menores destes meus irmãos" onde quer que eles estejam — no bairro ou no supermercado, nas esquinas ou nas favelas, ou ainda do outro lado do mundo, em outro país. Somos chamados a alimentá-los, vesti-los e cuidar deles, proporcionando liberdade e igualdade.

Se você ainda não está envolvido em ajudar e servir de forma prática, eu o desafio a agir. Qual é sua paixão? O que parte seu coração? O que você vê à sua volta que fere o coração de Deus? Não ignore o ímpeto de paixão em sua alma por estar muito ocupado ou por sentir que o problema é grande demais. Seja o entusiasmo por alimentar crianças famintas, o desejo de ver o fim dos abortos ou o fervor profundo na alma por libertar os cativos da escravidão moderna, Deus colocou um fogo em seu coração. Não o ignore. *Compartilhe.*

Ao longo dos anos, tenho angariado recursos para combater a escravidão dos dias atuais e falado em público sobre os males do tráfico humano. Também me voluntario em centros locais para gestantes e organizações a favor da vida, trabalhando para proteger a vida dos nascituros.

Desafio você a usar sua esfera de influência e falar com seus colegas de escola ou grupo de jovens sobre os problemas que gostaria de ver solucionados. Converse com seu pastor ou líder de jovens e envolva a igreja. Escreva sobre o assunto. Fale sobre ele nas redes sociais. Posicione-se em prol daqueles que não podem falar por si sós (Pv 31.8). Angarie recursos para organizações que servem os quebrantados e oprimidos e voluntarie--se sempre que puder. Separe um dia por semana para ajudar em um centro local de gestantes ou orar em frente a uma clínica de aborto. Ou deixe sacolas dentro do carro com uma Bíblia e alimentos a fim de distribuir para os desabrigados nas ruas. Talvez você sonhe em ajudar crianças pobres de outros países, mas se sente preso em sua cidade pequena. Não espere: comece onde está. É possível encontrar pobreza e necessidade em nossa cidade e bairro. E, em geral, há organizações que trabalham para suprir essas carências. Caso não houver, quem sabe você não possa começar uma! Há muitas maneiras de começar a fazer a diferença aqui e agora.

Contudo, em nossas obras de justiça, não nos esqueçamos daquilo de que as pessoas realmente necessitam: Jesus. Podemos libertar os escravos, alimentar os famintos, doar dinheiro para os pobres, mas, se não lhes dermos Jesus, nós os deixaremos tão escravizados, famintos e destituídos quanto antes. Jesus conectava as necessidades espirituais das pessoas a suas necessidades físicas e cuidava de ambas. Ele nos chama a fazer o mesmo. Amo o que Jaquelle Crowe Ferris diz:

> Necessitamos da justiça que nasce do amor do evangelho. [...] [Jesus] supria as necessidades dos pobres enquanto lhes falava sobre as riquezas espirituais que poderiam ter nele. Ele dava água aos sedentos e lhes falava sobre a Água Viva que pode satisfazer eternamente. Servia alimento aos famintos e pregava sobre o Pão da Vida. Cuidava das crianças e dos órfãos, enquanto oferecia a oportunidade de ser filhos de Deus. Jesus não ignorava o sofrimento físico das pessoas, mas priorizava sanar seu sofrimento eterno.[3]

Uma vida de compaixão e atos de amor não substitui o evangelho. Não estamos isentos de comunicar verbalmente o evangelho por sermos guerreiros da justiça social. Isso é uma desculpa e um insulto direto ao sacrifício que Jesus fez na cruz. Nosso amor deve brilhar claramente por intermédio de nossa vida antes, depois e enquanto compartilhamos o evangelho. Caso contrário, a mensagem será diminuída. A Bíblia diz: "Como crerão nele se jamais tiverem ouvido a seu respeito? E como ouvirão a seu respeito se ninguém lhes falar? [...] Portanto, a fé vem por ouvir, isto é, por ouvir as boas-novas a respeito de Cristo" (Rm 10.14,17). As pessoas conhecem a Cristo porque ouvem o evangelho.

Este mundo jamais será consertado por completo, mas pessoas feridas ainda podem ser curadas pelo poder de Cristo. Talvez não consigamos salvar o planeta, mas Jesus continua ocupado em salvar almas.

Somos chamados para ser pregadores das boas-novas. Deus nos convida para ser agentes de sua verdade e doadores de seu amor. Compartilhar o evangelho é tarefa séria e precisamos reconhecer sua importância.

Sim, é difícil

Para mim, compartilhar o evangelho é a parte mais difícil de seguir Jesus. Conforme comentei antes, sou introvertida e não gosto de sair de minha zona de conforto. Para mim, anunciar o evangelho está fora de minha zona de conforto.

Um tempo atrás, minha igreja fez uma série de sermões sobre evangelismo e uma mensagem em especial me tocou o coração. O pastor de minha igreja nos desafiou a alcançar e amar, perguntando-nos quantas vezes afastamos as pessoas com nosso silêncio e nossa inação. "O silêncio é inimigo da verdade", disse ele. Isso me atingiu com força, pois reconheci que eu não tinha um problema de testemunho ou de introversão, mas, sim, um problema de amor. Estava tão envolvida em mim mesma e minhas ansiedades que não amava os outros como Jesus ama.

Eu gostaria de poder dizer que me tornei um expoente de evangelismo depois daquele domingo. Que todos os meus temores e ansiedades se foram e eu jamais perdi outra oportunidade de compartilhar o amor de Cristo. Infelizmente, porém, não foi isso que aconteceu. Mesmo hoje, anos depois, tenho minhas lutas. Sei que já perdi oportunidades desde então, mas também aproveitei oportunidades. Sou mais ousada e corajosa. Tenho dito sim.

Uma ocasião específica me chamou atenção. Vários anos depois que minha mãe e irmã pararam de se voluntariar no ministério aos encarcerados, senti o Espírito de Deus me impelindo a ir. Por isso, comecei a me reunir com as detentas duas vezes por mês, compartilhando o evangelho e orando por elas. Toda manhã, antes de ir, uma onda de medo e ansiedade tomava conta de mim. Os resultados pareciam, na melhor das hipóteses, mínimos. Era desanimador passar horas antes da visita arrasada pela ansiedade, só para sentir que havia desperdiçado tempo.

Até que conheci Bethany.

Uma das primeiras coisas que percebi foi o quanto ela estava *arrasada*. O sentimento emanava dela e era muito mais perceptível do que o uniforme laranja da prisão, ou as espinhas que pareciam constrangê-la. Ela tinha mais ou menos minha idade, mas uma atmosfera densa a cercava, como se já tivesse vivido várias vidas e carregasse o sofrimento de todas elas.

Bethany começou a participar do grupo desde o começo e ficava olhando para baixo o tempo inteiro. Quando passei pela última porta de segurança duas semanas depois de nosso primeiro encontro, fiquei surpresa ao encontrá-la com outras três detentas no corredor.

188 • PAIXÃO RADICAL

Fomos para a sala destinada a aulas e programas e nos sentamos em volta da mesa de plástico. Ela ficou em silêncio enquanto eu conversava com as outras três mulheres. Depois de respirar fundo, comecei a compartilhar a lição que havia preparado.

— Você sabe o que significa a palavra *evangelho*? — perguntei.

— Sei, sim — respondeu uma das moças mais comunicativas. — É, tipo, coisa de crente, não é?

Eu sorri.

— Ótimo palpite! Mas, na verdade, a palavra *evangelho* significa boa notícia.

— Uau! Sério mesmo? — exclamou ela. — Que legal!

Eu olhei para Bethany. Ela não parava de olhar para baixo, entre o chão e a ponta da mesa de plástico. Meu coração doía por ela.

Orei: "Senhor, guia-me até ela. Ajuda-me a alcançá-la".

— Sim, eu também acho muito legal! Em especial porque o evangelho, a história de Jesus Cristo e como ele morreu para nos salvar de nossos pecados, é literalmente a melhor notícia de todos os tempos!

Elas sorriram, sinalizaram que sim com a cabeça, então eu continuei.

— Já ouviram falar de um cara chamado Nicodemos?

Fizeram que não com a cabeça.

— Bem, ele era um líder religioso na época de Jesus, mas se sentia muito vazio e tinha várias dúvidas.

Abri a Bíblia em João 3 e li a história em voz alta, contando como Nicodemos abordou Jesus certa noite e descobriu as boas-novas do perdão e da vida eterna por meio do próprio Cristo.

— O evangelho é uma mensagem de amor extraordinário e incondicional. Jesus morreu na cruz e entregou sua vida por causa de seu amor por nós.

Bethany estendeu a mão e a passou debaixo dos olhos. "Abre o coração dela, Senhor Deus!"

— Jesus tem o poder de nos tirar da culpa, do sofrimento e da vergonha, de nos lavar e nos dar nova vida e esperança. Ele pode fazer isso por você — incentivei. — Ele a ama tanto assim.

Cheguei ao fim da lição bíblica e peguei o *laptop* para colocar uma música. Em segundos, algo dentro de Bethany se rompeu. Ela começou a soluçar em tom estridente e se inclinou para a frente, com os ombros tremendo. De coração partido, eu me levantei, dei a volta na mesa e me ajoelhei no chão ao lado dela e coloquei os braços a seu redor enquanto ela chorava.

Antes de entrar naquela sala, a secretária havia me contado que Bethany tinha feito coisas terríveis. Eu não duvidei. Naquele momento, porém, ela era apenas uma moça sofrida com lágrimas escorrendo pelo rosto e um coração tocado por Jesus.

Quando a música terminou, suas lágrimas haviam cessado e um pouquinho do sofrimento parecia tê-la deixado. Jamais a vi de novo depois daquela tarde. Dei à equipe de funcionários uma Bíblia e um bilhete que escrevi para ser entregue no dia de sua saída da prisão. Continuo a orar por ela e, embora não tenha tido o privilégio de levá-la a Jesus, creio que Deus nos uniu naquela ocasião para um propósito. Confio que ele plantou algumas sementes. Talvez um dia eu verei o quadro mais amplo, mas, por enquanto, sou grata porque tive a chance de falar sobre Jesus para ela. Fiz a minha parte e confio que Deus completará a obra que ele começou.

Bethany não foi a única moça abalada ao lado de quem me ajoelhei no chão da prisão. Ao conhecer essas mulheres, algo que aprendi é que todos têm uma história e, em geral, ela é marcada por dor, sofrimento e diversos momentos de desesperança. No entanto, não é preciso começar um ministério

190 · PAIXÃO RADICAL

carcerário para deparar com essas histórias. Elas existem por toda parte. E há somente um com o poder para reescrevê-las, transformando-as em mensagens de esperança e redenção. O nome dele é Jesus.

Deus é único em sua forma de nos buscar. Ele não segue uma fórmula, e nada o deterá de alcançar o mundo com seu amor. Ele sabe como tocar as pessoas ao nosso redor e deseja nos usar — se nós permitirmos. Tudo que precisamos fazer é obedecer quando ele chamar, amar o tempo inteiro, orar muito, falar a verdade, proclamar com ousadia as boas-novas de Deus e deixar nas mãos dele os resultados.

Vale a pena

Lembro-me da história de Robert J. Thomas. No final do século 19, Deus o chamou para ser um dos primeiros missionários da Coreia. Sua primeira viagem foi curta e dedicada predominantemente a aprender sobre o povo e seu idioma. A segunda viagem deveria ser de longo prazo, mas, ao chegar à cidade de Pyongyang, seu navio foi atacado por soldados coreanos e Robert foi assassinado. Ele jamais fundou uma igreja, nem conduziu nenhum coreano a Cristo.[4] A maioria consideraria que seu ministério e suas iniciativas foram um desperdício.

Ainda assim, Deus o usou. Quando os soldados atacaram, Robert tinha algumas Bíblias em coreano e implorou para que as pegassem, gritando "Jesus! Jesus!" na língua deles. Depois de sua morte, os soldados que o mataram pegaram as Bíblias. Anos depois, descobriu-se uma casa na região cujas páginas das Escrituras foram dispostas em mural na parede. Pessoas de todas as partes iam ler as paredes, a fim de descobrir o Deus por quem um homem se mostrou disposto a morrer e de aprender sobre o evangelho que o levou a deixar seu lar e viajar milhares de quilômetros para salvar aqueles que o mataram. Hoje, há indivíduos em certas partes da Coreia do Norte que adoram a Deus em segredo, mas o evangelho continua a se espalhar, tudo por causa do missionário "falho" e da Bíblia que ele levou.

O evangelho faz valer a pena o preço de nosso desconforto. Vale o preço de nossos temores e ansiedades. Vale a pena abrir mão de tempo, energia e até da própria vida. O mundo está desesperado por um toque de Deus e, nessa geração de trevas, só o terá se nós, os portadores de luz, caminharmos entre eles e fizermos brilhar a luz daquele a quem seguimos. Nosso mundo necessita de reavivamento. O verdadeiro reavivamento começa de joelhos, clamando por um toque do céu, a fim de que Deus derrame seu espírito sobre este solo encharcado de pecados. O reavivamento começa uma vida de cada vez. Acontece quando abrimos mão de nossos planos, deixamos Deus invadir nosso coração e usamos a vida para espalhar as boas-novas de que Jesus Cristo ressuscitou. Esse é o evangelho e o âmago de um verdadeiro testemunho sobre Jesus. Essa é a mensagem que vale a pena compartilhar.

Em 2016, Pedro foi diagnosticado com câncer de estômago. Sua família e seus amigos oraram com fervor pedindo cura a Deus. Mesmo enquanto lutava contra o câncer, sua paixão por Cristo nunca vacilou. Todos os dias, no hospital, ele falava para as enfermeiras que seu objetivo diário era contar sobre Jesus a alguém. E assim ele fazia. Enquanto houve fôlego em seus pulmões, ele falou com médicos, enfermeiros, auxiliares de enfermagem, zeladores, cozinheiros e qualquer pessoa com quem conseguia ter contato sobre Cristo. Deitado naquele leito de hospital, Pedro conduziu um enfermeiro e um auxiliar de enfermagem ao Senhor. Seu corpo estava se fragilizando, mas sua paixão por Cristo continuou a crescer.

Em abril daquele ano, Deus respondeu às muitas orações pedindo cura ao levar Pedro para sua presença. Finalmente, o servo fiel que falava a todos que conseguia sobre Jesus, pôde se encontrar face a face com o Salvador que havia mudado cada parte de sua vida.

Não tenho a menor dúvida de que Pedro ouviu as palavras: "Muito bem, meu servo bom e fiel" (Mt 25.23).

É assim que se compartilha o evangelho. Uma pessoa — um coração, uma vida — de cada vez.

Bastam 120

A parte mais bela de compartilhar o evangelho é que podemos participar da história divina da redenção. Leva-nos um passo além de aceitar a Jesus e nos coloca nas páginas no próximo capítulo. Imagine o seguinte: *você* pode ser a pessoa que convida alguém à presença de Deus. *Você* pode ser a pessoa escolhida a dedo por Deus para conduzir uma alma ao céu. Isso não é incrível?

Minha prece por nossa geração é que nos apaixonemos profundamente por Jesus e aumentemos o fervor pelo evangelho. Oro para que ele nos surpreenda com a beleza de seu sacrifício e coloque em nossa alma o fogo por compartilhá-lo com os outros.

O estandarte está em nossas mãos. A maior mensagem do mundo nos foi transmitida. Por sermos a próxima geração, somos responsáveis por compartilhar a mensagem com as gerações que ainda virão.

Cumpriremos essa tarefa?

Teremos ousadia e unidade de mente e coração? Olharemos para a cruz e seremos inundados de paixão por Cristo? Ou deixaremos o fogo apagar por causa de nossa apatia, egocentrismo e temor?

Quando Jesus subiu ao céu e ordenou a todos os cristãos que fossem fazer discípulos, o número de seguidores de Cristo era pequeno. Atos 1.15 diz que o número era de "cerca de 120 discípulos".

Cento e vinte.

Só isso.

Eu não sei se havia mais pessoas que seguiam a Cristo e saíram para pregar o evangelho, mas a Bíblia acompanha a história desses 120. E foi tudo que bastou para começar a edificar a igreja. Isso me leva a indagar: "Se restassem hoje apenas 120 cristãos no mundo, o evangelho se espalharia e fluiria da mesma forma que naquela época? Ou acabaria morrendo?".

Sei que Deus jamais permitiria que isso acontecesse, mas continua a ser uma reflexão importante, com base na condição de nossa cultura e no quanto levamos a sério nossa missão.

Algumas páginas mais adiante em Atos, vemos o Espírito Santo enchendo aqueles discípulos e tomamos conhecimento dos milagres e das obras que vieram em seguida. O mundo viu a diferença. E se perguntava o que a estava causando.

Muito embora Jesus não estivesse mais presente em corpo, ele era a resposta. Por causa do poder do Espírito Santo e do testemunho dos discípulos, o evangelho se espalhou por todo o planeta.

E tudo começou com apenas 120 seguidores fiéis.

Esse é Deus. Só ele é capaz de proporcionar um crescimento tão explosivo.

E ele pode fazer o mesmo mais uma vez. Ele pode nos usar. E, o mais importante, ele *quer* nos usar.

Só precisamos ser ousados o bastante para abrir a boca e proclamar a melhor notícia que o mundo já ouviu e fiéis o suficiente para sair, falar e amar com nossa vida. Como disse

194 • PAIXÃO RADICAL

Billy Graham: "Deus provou seu amor na cruz. Quando Cristo foi pendurado, sangrou e morreu, era Deus dizendo ao mundo: 'Eu amo você'".[5]

Vamos compartilhar esse amor. Vamos viver como quem de fato acredita nessa verdade.

Senhor, inflama nosso coração com fogo pelo evangelho!

APROFUNDE-SE

1. O que mais o inspirou na história de Pedro? Por que, em sua opinião, ele era tão apaixonado por compartilhar o evangelho?

2. Você já compartilhou o evangelho? Em caso afirmativo, como o fez e como foi?

3. Você já disse não quando Deus lhe pediu que compartilhasse o evangelho? Por quê? O que você acha que poderia ter acontecido se tivesse dito sim?

4. Você se identifica com a dificuldade de compartilhar o evangelho? Como pode superar seus temores e ser fiel à mensagem evangélica?

5. O que você acha que aconteceria se restassem somente 120 cristãos hoje? Pare e ore agora mesmo para que Deus lhe conceda forças para ser fiel ao evangelho. Procure oportunidades esta semana e aproveite-as quando Deus as apresentar a você.

14

Sem reservas, sem recuos, sem remorsos

Convicção radical para iniciantes

Enquanto eu pesquisava para escrever este livro, deparei com um artigo no *site* WikiHow intitulado "Como ser um ótimo cristão adolescente em treze passos".[1]

Eu não sabia que o WikiHow era especialista em cristianismo, mas o título parecia promissor, então cliquei no *link* e comecei a leitura. Primeiro passo: "Seja sensato e ponderado".

"Hum, o passo 1 é interessante", pensei.

Os passos continuaram dando dicas como levar a Bíblia consigo para todos os lugares e participar de todos os cultos que acontecem na igreja. Continuou nessa linha, até que cheguei ao passo 9: "Se você ainda não é salvo, faça isso".

Fiquei de queixo caído. Passo *nove*? Sério?

Embora o artigo contenha um pouco de verdade e as intenções do autor tenham sido boas, acabou pintando o retrato de como superficializamos seguir a Deus. De algum modo, conseguimos condensar essa jornada em um processo de treze passos. Mas seguir a Deus envolve muito mais do que ser sensato, ponderado e carregar a Bíblia para todos os lugares aonde vamos. O artigo não menciona nada sobre sacrifício, entrega ou amor apaixonado por Jesus.

Começamos este livro diagnosticando o problema, prosseguimos para a solução e, depois disso (correndo o risco de parecer um artigo do WikiHow), aproximamos o foco de problemas e temas individuais.

196 · PAIXÃO RADICAL

Agora quero tirar o *zoom* e olhar mais uma vez para o quadro mais amplo. Renovemos nossa perspectiva e voltemos para o cerne do que significa seguir a Cristo, pois há muito mais envolvido do que um processo de treze passos.

Um missionário milionário

William Borden tinha apenas dezesseis anos quando fez uma viagem ao redor do mundo. Seus pais pertenciam à abastada elite de Chicago no início do século 20, e a volta ao mundo foi o presente de formatura que resolveram lhe dar.

Mas Deus tinha planos maiores.

Enquanto William viajava pela Europa, Ásia e Oriente Médio, Deus colocou um chamado em seu coração: deixar para trás a vida de privilégio que ele conhecia até então e repartir o evangelho com aqueles que nunca haviam ouvido falar de Cristo. Nessa viagem, William escreveu duas palavras em sua Bíblia.

Sem reservas.

Ao voltar para casa, seus pais insistiram em que ele fosse para a faculdade, conforme planejado. Ele começou a estudar em Yale e logo percebeu que a maioria de seus colegas universitários não tinha a mesma paixão, nem os mesmos objetivos que ele. Um de seus amigos chegou a criticá-lo, dizendo que ele "estava desperdiçando a vida como missionário".[2]

William não se deteve. Começou a se reunir com um amigo toda manhã para orar e ler a Bíblia. Logo, aqueles encontros matinais se expandiram e despertaram um reavivamento por todo o *campus*. Quando William estava no último ano da faculdade, mil dos treze mil estudantes de Yale se reuniam em grupos como esses. Ele escreveu em seu diário: "Dizer não para o eu e sim para Jesus todas as vezes".[3]

Também trabalhou com os desabrigados, fundou uma missão de resgate e fazia parte da equipe de voluntários. Sua paixão por Cristo impactava a todos que conhecia. Quando perguntaram a um turista que fora conhecer a região o que mais o havia impressionado, ele respondeu: "Ver aquele jovem milionário ajoelhado em oração ao lado de um mendigo na Yale Hope Mission".[4]

Após se graduar, William escreveu mais duas palavras em sua Bíblia.

Sem recuos.

Depois de formado, ele começou a se programar para ir a China, onde se sentia chamado para trabalhar. Antes de partir, porém, William foi primeiro para o Egito, aprender árabe e se preparar para uma vida como missionário aos muçulmanos. Enquanto estava lá, contraiu meningite e morreu menos de um mês depois de fazer 25 anos. Antes de morrer, escreveu mais duas palavras em sua Bíblia.

Sem remorsos.

Embora fosse jovem e não tenha pisado no campo missionário, William visava uma vida de entrega absoluta a Cristo. Em consequência, sua história tem inspirado incontáveis pessoas a viver por Cristo, sem reservas. Sem recuos. E, por fim, sem remorsos.

Quando ouvi essas três expressões pela primeira vez, elas marcaram meu coração como o âmago do que significa ser um verdadeiro seguidor de Cristo. Nós não recuamos. Não olhamos para trás. Entregamos tudo, permanecemos firmes e prosseguimos até o fim.

Sem reservas: dê tudo

Em Marcos, encontra-se a história de um homem jovem, rico e poderoso. Ele tinha o mundo em suas mãos e tudo que pudesse desejar.

Mas ele sabia que isso tudo não bastava. Havia uma dor em sua alma que nem mesmo todas as riquezas eram capazes de preencher. Ansiava por aquilo que o homem chamado Jesus dizia poder oferecer: *a vida eterna.*

Assim, na vez seguinte que Jesus foi à Judeia, aquele jovem rico pensou: "Essa é minha oportunidade". Correu até ele e se ajoelhou. "Bom mestre, que devo fazer para herdar a vida eterna?" (Mc 10.17).

"Se você quer entrar na vida, guarde os mandamentos", respondeu Jesus.

"Quais?", o jovem perguntou. Ele precisava saber... será que estava fazendo o suficiente?

Jesus citou vários dos Dez Mandamentos. A esperança se inflou na alma daquele homem. Ainda assim, ele respondeu: "Todas essas coisas eu tenho guardado desde a juventude. O que ainda me falta?". Pois ele sabia que, mesmo assim, *algo* faltava.

Jesus respondeu: "Ainda há uma coisa que você não fez. Vá, venda todos os seus bens e dê o dinheiro aos pobres. Então você terá um tesouro no céu. Depois, venha e siga-me" (Mc 10.21).

Sua alma foi lá embaixo. Vender tudo que tinha? Afastar-se de suas posses? De sua vida, dos confortos, do poder, do prestígio e da riqueza? Lá no fundo do coração, ele sentia que essa era a resposta. Era por isso que ele ansiava durante noites insones e dias sem propósito. Ainda assim... era muito para pedir. Foi um golpe duro.

Ele não era capaz de se desprender tanto.

Por isso, partiu, com o coração entristecido, mas as riquezas intactas. A casa cheia. A alma vazia.[5]

Muitas vezes, nós, adolescentes, somos bem parecidos com esse jovem. Ansiamos por Jesus, mas queremos negociar as condições. Queremos estar no controle quanto ao custo para segui-lo. Queremos os benefícios, sem o sacrifício.

E quando Jesus nos pede que sejamos mais profundos, nós nos afastamos e dizemos que é demais. Difícil demais. Custoso demais.

Como o jovem rico, estamos mais do que dispostos a *fazer* — que boas ações eu devo *fazer*? —, mas não nos mostramos igualmente dispostos a *dar*. Sobretudo quando isso atinge o cerne daquilo que mais valorizamos. Como alguns de nós, aquele jovem guardava todos os mandamentos desde a infância.

Mas ainda percebia que estava faltando algo.

O que está impedindo você? O que tem evitado seu compromisso de todo o coração com Cristo? Você acredita que Jesus é suficiente? Ou precisa ser Jesus... e sua família? Jesus... e seus amigos? Jesus... e os confortos da vida moderna? E se fosse apenas... *Jesus*?

Sem recuos: permaneça firme

Em Lucas 9, somos apresentados a um homem com boas intenções, mas pouco compromisso. Enquanto conversava com Jesus, ele disse: "Senhor, eu o seguirei, mas deixe que antes me despeça de minha família" (v. 61).

Isso me parece perfeitamente razoável à primeira vista. Mas há mais envolvido aqui do que percebemos. Os comentaristas sugerem que uma tradução melhor seria algo do tipo: "Deixe-me colocar minha casa em ordem". Se esse for o caso, ele não estava pedindo para dar um tchauzinho rápido para os familiares, mas, sim, adiando seguir a Cristo. Certo comentarista explica: "Encontramos aqui o que parece ser uma oferta espontânea, aliada a uma súplica por adiamento".[6] Em outras palavras, ele não pensou direito e depois quis adiar.

Como esse homem, somos rápidos em dizer: "Jesus, eu o seguirei". Mas depois de nos dar conta do que isso realmente significa, acrescentamos um "mas" para abrandar o nível do compromisso.

Jesus, eu o seguirei... mas primeiro me deixe terminar o ensino médio.

Jesus, eu o seguirei... mas não me peça que eu espere até o casamento para fazer sexo.

Jesus, eu o seguirei... mas antes me deixe me estabelecer na vida e me casar.

Jesus, eu o seguirei... mas não me peça para servi-lo em outro país.

Jesus, eu o seguirei... mas deixe em paz o que eu faço com meu tempo livre.

Jesus nos pede que não olhemos para trás. Que não recuemos do compromisso original: "Jesus, eu o seguirei".

Sem recuos significa ir aonde quer que seja ao lado de Deus. Quando decidimos pela primeira vez seguir a Cristo, não fazíamos ideia de onde esse compromisso nos levaria. Para muitos, conduziu à morte, perseguição, tortura, zombaria e sofrimento inenarrável. Para alguns, significou abrir mão de tudo que possuíam e se mudar para outro país. Para todos, levou a sacrifícios, grandes ou pequenos. Ele não nos dá um mapa, nem mostra o que o futuro nos reserva. Só nos deixa uma ordem: *siga-me!*

Sou inspirada e desafiada por histórias de homens e mulheres corajosos que disseram "Sim! Eu o amo mais que a própria vida" e se mostraram dispostos a entregar tudo.

Homens como Ivan Moiseyev, dezoito anos, que se recusou a ser reeducado e dissuadido de sua crença em Deus pelos comunistas da URSS da década de 1970. Quando o interrogaram para descobrir por que ele se recusava a dar as respostas comunistas "corretas" a fim de ser liberto, Ivan respondeu: "Às vezes, há uma diferença entre as respostas corretas e as verdadeiras. Às vezes, Deus não me permite dar as respostas 'corretas'".[7] Ao depararem com a fé inabalável de Ivan, os interrogadores tentaram coagi-lo de inúmeras maneiras: ele foi forçado a permanecer ao ar livre a noite inteira em temperaturas abaixo de zero, colocado em celas refrigeradas, fizeram lavagem cerebral nele e, por fim, o surraram e esfaquearam até a morte.

Ivan não tinha força, nem resistência sobre-humanas. Pelo contrário, ele temia a própria fraqueza. Em uma carta aos pais não muito tempo antes de ser assassinado, escreveu:

O Senhor tem me mostrado o caminho [...] e tenho decidido segui-lo. [...] Terei a partir de agora batalhas maiores e mais severas do que tive até aqui. Mas não as temo. Ele vai a minha frente. Não chorem por mim, meus queridos pais. É porque amo a Jesus mais do que a mim mesmo. Eu o ouço mesmo que meu corpo tema e não deseje passar por tudo isso. Ajo desse modo porque não valorizo minha vida tanto quanto o valorizo. E não aguardarei minha própria vontade, mas seguirei o Senhor aonde ele conduzir. Ele diz "Vá!" e eu vou.[8]

Também penso em mulheres como Aida Skripnikova, que, em 1961, foi presa pela primeira vez aos dezenove anos de idade, por distribuir poemas que havia escrito sobre Jesus. A perseguição era tão ferrenha na União Soviética comunista que mesmo algo inocente como um poema era considerado uma ameaça. Após ser liberta, Aida voltou a trabalhar na igreja clandestina.

202 • PAIXÃO RADICAL

Ela escreveu: "Não podemos ficar em silêncio acerca do que forma o significado total de nossa vida — Cristo".[9] Cristo de fato era o foco central de sua vida e, aos 27 anos, ela enfrentava seu quarto encarceramento. Foi solta após três anos, mas a beleza impressionante de sua juventude se fora para sempre, desgastada pelos anos de dificuldades e sofrimento. A despeito das durezas que Aida enfrentou, há algo que jamais mudou: sua paixão por Cristo, a alegria e o amor pelo Salvador que não se deixou abater pelo sofrimento e pela dor.

Finalmente, penso em homens e mulheres como Vang e Mee, que servem a Deus hoje mesmo no Sudeste Asiático, com pleno conhecimento de que podem ser presos ou até mortos por causa de Cristo a qualquer dia. Ambos já sofreram tentativas de homicídio. Alguns meses depois de Mee entregar a vida a Cristo, um homem em sua vila apontou uma arma para sua cabeça e disse:

— Se você continuar a ser cristã, vou matá-la agora!

Ela respondeu com ousadia:

— Você pode até matar meu corpo, mas jamais meu espírito.[10]

O homem abaixou a arma e partiu. Atualmente, Vang e Mee lideram uma igreja doméstica clandestina e falam de Cristo com todos que conseguem. Estão cientes dos riscos, mas, nas palavras de Mee, "Seria uma honra morrer para Deus".[11] Para eles, não existe isso de "fé segura".

Essas foram apenas três histórias, de milhões. Ao redor do mundo inteiro, há cristãos sofrendo e morrendo por Jesus porque se recusam a negar seu nome. Sofrer por Cristo é seu privilégio. Não se contentam com nada menos do que dar tudo que têm. Hebreus 12.1-2 diz:

> Portanto, uma vez que estamos rodeados de tão grande multidão de testemunhas, livremo-nos de todo peso que nos torna

vagarosos e do pecado que nos atrapalha, e corramos com perseverança a corrida que foi posta diante de nós. Mantenhamos o olhar firme em Jesus.

Conforme afirma o versículo, somos "rodeados de tão grande multidão de testemunhas". Como seríamos capazes de fazer menos do que esses irmãos e irmãs corajosos em Cristo, dispostos a entregar tudo por Jesus?

Vivemos hoje em um país livre. O risco de servir a Cristo aqui pode não ser tão grande quanto em outros países, mas isso não quer dizer que não fomos chamados a dar nosso tudo. A questão não é se *morreríamos* por ele, mas, sim, se estamos *vivendo* por ele. No livro *Jesus Freaks*, o grupo DC Talk comenta: "Alguns cristãos nunca nem tentaram pensar se morreriam ou não por Jesus, pois jamais viveram de fato por ele".[12] Que nunca abramos mão de nossa liberdade em viver completamente por Cristo, enquanto mártires permanecem firmes todos os dias diante da morte.

Não posso deixar de me perguntar: "Quando foi que eu me acovardei?". Pois sei que já o fiz. Já permiti que o medo superasse minha fé. Já disse não e me afastei. Já olhei para trás. Já desisti quando fiz concessões e disse ou fiz algo que sabia não ser correto.

Mas de hoje em diante que isso não se repita. Sejamos uma geração que vive por Cristo sem recuos e com obstinação santa.

Quando ele pedir que compartilhemos o evangelho: *sem recuos*.

Quando pedir que permaneçamos firmes e expressemos nossas crenças, mesmo em temas nada populares: *sem recuos*.

Quando ele nos pedir para sentar e dedicar tempo para amar alguém: *sem recuos*.

E mesmo que ele nos peça para entregar a própria vida: *sem recuos*.

Quero ter por Jesus o tipo de amor que olha com ousadia bem de frente para perseguições, adversidades e temores e declara sem se abalar: "Eu sou cristã".

Eu não vou recuar.

Sem remorsos: ame muito

É difícil engolir um remorso.

Ele deixa na boca um gosto amargo e uma dor no coração. Já me arrependi na vida por coisas tão pequenas quanto comer bolo de chocolate no café da manhã, até coisas grandes como não falar do evangelho com alguém depois de sentir Deus tocar meu coração. Mas o que jamais me gerou arrependimento, nem gerará são as coisas que já fiz por Jesus. Se você pudesse perguntar a qualquer um que sofreu martírio por Cristo se valeu a pena — toda a dor, todo o sofrimento e todo o temor — não tenho a menor dúvida de que a resposta seria: "Sim, valeu a pena!". Todo sofrimento neste mundo passageiro é obscurecido pelo vislumbre da glória celestial. Quando você vive com a perspectiva da eternidade, sabe que Deus tem um propósito para sua vida — ou para sua morte.

Uma de minhas heroínas espirituais entendia isso. Após passar por provações, perdas e lições de confiança, ela conseguiu abraçar a verdade de que não há "se" no reino de Deus. Mas comecemos pelo princípio de sua história.

Era 1943. A Europa estava no meio da Segunda Guerra Mundial, o que incluía a Holanda, ocupada pelos nazistas. Ali, no meio da cidade de Haarlem, havia uma pequena relojoaria administrada por um idoso e suas duas filhas solteiras. Por três anos, eles sentiram a pressão da ocupação nazista, mas, enquanto a Europa travava uma guerra que resultava em mortes, aqueles três indivíduos — Corrie, Betsie e o Papai ten Boom — travavam uma luta em prol da vida. A vida dos judeus.

Um cômodo secreto fora construído em cima da antiga loja, dentro do quarto de Corrie. Redes clandestinas de resistência se formaram, e um pequeno fluxo de "convidados" judeus começou a encontrar refúgio ali. Centenas de judeus desabrigados passaram pela loja, cada um deles um membro precioso do povo escolhido de Deus. A família ten Boom sabia dos riscos que corria. Todos os dias, os três se equilibravam na corda bamba do perigo de ser descobertos, mas confiantes de que os anjos de Deus os cercavam.

No dia 28 de fevereiro de 1944, tudo foi por água abaixo. A Gestapo invadiu a loja e, embora tantos judeus tenham conseguido se esconder no cômodo secreto, Corrie, Betsie e o pai foram presos, levados para a sede da Gestapo e depois para a prisão Scheveningen. Quando chegaram à sede, um dos chefes do interrogatório viu Papai ten Boom e o chamou num canto.

— Gostaria de mandá-lo para casa, senhor — disse ele. — Acreditarei em sua palavra se me prometer não causar mais problemas.

Ele respondeu com calma e clareza:

— Se eu voltar hoje para casa, amanhã abrirei as portas novamente para qualquer pessoa em necessidade que bater.[13]

Dez dias depois, ele morreu na prisão.

Corrie e Betsie passaram quatro meses em Scheveningen antes de ser transferidas para Vught e depois Ravensbrück, campo de concentração feminino tão infame quanto letal. Ali as irmãs enfrentaram frio, exaustão e alojamentos infestados de pulgas. Viram a morte, atrocidades indizíveis, fome e dor. Em meio a tudo isso, porém, jamais perderam a fé em

206 • PAIXÃO RADICAL

Deus. Criaram um feixe de luz em um lugar das mais profundas trevas e viram a mão de Deus em ação até mesmo em Ravensbrück. Deus operou milagres, dando-lhes um frasco de vitaminas que jamais terminava e permitindo que conservassem a Bíblia escondida dos guardas. Corrie e Betsie compartilhavam esperança com as mulheres ao redor, conduziam muitas a Cristo e sonhavam com o dia em que estas poderiam contar ao mundo as verdades que haviam aprendido. "Não existe abismo tão profundo que ele não consiga alcançar com sua profundidade ainda maior."[14]

Em um dia frio de dezembro, depois de vários meses em Ravensbrück, Betsie faleceu nos braços daquele a quem ela mais amava, com um sorriso no rosto e paz no coração. De coração partido diante da perda da amada irmã, Corrie ainda assim se apegou a Jesus e falava a todos que conseguia sobre a fé inabalável de Betsie. Quinze dias depois, em mais um milagre, Corrie foi liberta, dessa vez, graças a um erro burocrático. Uma semana depois de sair de Ravensbrück, todas as mulheres de sua idade foram mortas.

Deus tinha planos para Corrie. Contar ao mundo sobre a esperança que ela havia encontrado em Jesus. E mesmo tendo perdido tudo, ela não se arrependia; em vez disso, faria tudo de novo. "Não há 'se' no reino de Deus", Corrie escreveu em seu célebre livro. "O tempo de Deus é perfeito. Sua vontade é nosso refúgio."[15]

Poucas histórias me inspiraram e desafiaram mais do que a da família ten Boom. A vida de todos girava em torno de seu grande amor e nada — nem o poder dos nazistas, nem as trevas de um campo de concentração, nem mesmo a morte — seria capaz de mudar isso.

Acreditavam que Jesus dera tudo por eles e que foram

chamados a segui-lo, independentemente das consequências. Enquanto caminhavam nuas por Ravensbrück, uniam-se na comunhão dos sentimentos de Cristo, lembrando-se de que "*ele também foi despido*".[16] Enquanto Betsie era surrada por não trabalhar com a rapidez necessária, lembrou-se de como Cristo fora espancado em seu favor. "Olhe somente para Jesus", disse ela.[17]

Elas viveram em entrega absoluta ao Senhor e não se arrependeram de nada.

Não posso deixar de me perguntar o que aconteceria se nós vivêssemos assim. Se tivéssemos uma vida dedicada a Jesus, dispostos a entregar-lhe nosso tudo porque sabemos que ele entregou tudo por nós. Não nos negou nada. Não desistiu. Ele deu tudo graças a seu grandioso amor por nós.

Daremos tudo a ele por causa de nosso grande amor por ele?

O *amor* é o que nos impulsiona a viver inteiramente para Cristo. É o *amor* que nos leva a viver com convicção radical e devoção inabalável. Nós amamos porque fomos amados primeiro. Porque nada pode nos separar do amor de Cristo. Porque nossa salvação foi comprada com amor líquido — o sangue de nosso Salvador.

É isso que significa seguir a Jesus. Não é um processo de treze passos para se tornar um "ótimo cristão adolescente", mas, sim, é redespertar em nosso coração um amor radical por Cristo e aprender a viver por ele... ou morrer por ele. Sem reservas. Sem recuos. Sem remorsos.

APROFUNDE-SE

1. O que viver sem reservas significa para você?
2. Você já recuou? O que aconteceu e por quê? Se pudesse começar de novo, o que faria de maneira diferente?

208 • PAIXÃO RADICAL

3. Você consegue imaginar uma vida sem remorsos? Como você pode viver por Cristo a fim de não ter remorsos?
4. Até que ponto você está disposto a ir por Cristo? Como o exemplo que outros deixaram pode inspirá-lo ou convencê-lo da necessidade de mudança?
5. Qual história mais o inspirou neste capítulo? Por quê?

Conclusão

Definição de um revolucionário

Esperei enquanto cada um colocava a mão dentro da caixa, pegava um pedacinho de papel e respondia à pergunta, antes de passá-la adiante. Depois de terminar sua vez, minha irmã me entregou a caixa. Peguei a primeira carta da pilha e quase perdi o fôlego enquanto lia a pergunta na parte de trás.

Havíamos acabado de jantar e, como de costume, o casal que recebia nosso pequeno grupo de jovens pegou os cartões de conversa à mesa. Ao longo daquele encontro, havíamos respondido tanto a perguntas estranhas quanto a outras mais emocionantes. Essa, porém, calou fundo em meu coração.

— Uau — sussurrei. Olhei para todos em volta da mesa. — Hum, quanto tempo eu tenho mesmo? — perguntei, mais ou menos em tom de brincadeira.

Então li a pergunta em voz alta:

— Se Jesus tivesse uma mensagem para os jovens de hoje, qual seria?

Tentei dar a resposta mais breve possível, mas a pergunta permaneceu em meu coração por muito tempo depois de Amanda e eu nos agasalharmos e dirigirmos até nossa casa pelas ruas cobertas de neve.

Se Jesus tivesse uma mensagem para os jovens de hoje, qual seria?

A resposta já foi reformulada inúmeras vezes. Alguns talvez digam que sua mensagem seria algo como alicerçar nossa identidade em Cristo. Outros talvez poderiam alegar que ele falaria sobre nossa relação com a mídia ou mesmo algo relacionado às disciplinas espirituais. Cada uma dessas respostas contém verdade. Mas creio que tudo se resume à resposta que Jesus deu quando lhe fizeram uma pergunta parecida.

Em Marcos 12, os fariseus e os saduceus fizeram uma pergunta após a outra para Jesus. Os escribas ouviram esses debates e escutaram os fariseus e saduceus argumentando entre si enquanto se afastavam. Tudo indicava que Jesus respondera bem às perguntas, já que os fariseus e saduceus não conseguiram pegá-lo na armadilha de suas palavras, conforme haviam esperado. Um dos escribas se aproximou de Jesus com uma indagação própria: "De todos os mandamentos, qual é o mais importante?".

Ele respondeu: "O mandamento mais importante é este: [...] O Senhor, nosso Deus, é o único Senhor. Ame o Senhor, seu Deus, de todo o seu coração, de toda a sua alma, de toda a sua mente e de todas as suas forças" (Mc 12.29-30).

Assim o círculo se fecha. Seguir a Cristo é um padrão que sempre remonta ao amor e é pavimentado por ele. O amor a Cristo toma e transforma nossa vida. Altera nossa forma de pensar, falar, agir e nos relacionar com as pessoas ao nosso redor. Transforma nossa vida em um sacrifício vivo de louvor, à medida que nos maravilhamos diante de seu amor para conosco. Por isso, Jesus não ordenou ao escriba que seguisse uma lista de regras ou obedecesse a determinado mandamento. Sem amor a Deus, não temos nada.

Até mesmo o escriba que fez a pergunta para Jesus entendeu isso. Ele respondeu: "Muito bem, mestre. O senhor falou a verdade ao dizer que há só um Deus, e nenhum outro. E sei que é importante amá-lo de todo o meu coração, de todo o meu entendimento e de todas as minhas forças, e amar o meu

CONCLUSÃO • 211

próximo como a mim mesmo. É mais importante que oferecer todos os holocaustos e sacrifícios" (Mc 12.32-33).

Amar a Deus de todo o coração, alma, força e mente abrange todos os aspectos de nossa vida, desde nossas emoções e afeições até nossa vontade, todos os nossos pensamentos e tudo que fazemos. Nós o amamos com todo o nosso ser. Não há parte alguma de nossa vida que retemos dele.

Essa devoção apaixonada e sem reservas vale mais do que qualquer coisa que possamos oferecer. Mais que legalismo e regras. Mais que ações exteriores sem mudança interna. Mais que nossas tentativas de perfeição. Lembre-se: Deus não precisa de pessoas perfeitas, mas deseja um povo apaixonado.

Creio que essa seja a mensagem de Jesus para a juventude de hoje: *Ame-me de todo o seu coração, de toda a sua alma, de toda a sua mente e com todas as suas forças.*

Prossiga na jornada

Percorremos uma longa jornada, você e eu. Aprendemos quem é Deus e como ele muda todas as coisas. Como ele vale tudo. Fizemos uma viagem juntos, mas agora que nos aproximamos do fim, não permita que este livro seja o fim de seu trajeto com Deus. Não faça desta leitura a jornada, mas, sim, o início dela e o desafio de que você necessita para prosseguir e permanecer forte até o fim.

Esta revolução do amor é somente a plataforma de lançamento — a explosão que acende um compromisso implacável e um amor inabalável por Deus. Esse é apenas o chamado: "Em suas marcas! Preparar. Apontar. Já!". Ainda há uma corrida à frente.

Se pudéssemos nos encontrar e bater papo enquanto tomamos um café (um *mocha* com caramelo para mim, por favor), há uma coisa que desejo falar a seu coração e incentivá-lo a fazer: continuar se apaixonando por Jesus e continuar se aproximando dele. Espero que este livro o tenha levado a amá-lo mais, mas, por favor, não pare aqui. Continue seguindo-o com tudo que há em você. Continue a se aprofundar nas Escrituras, buscando e estudando a Palavra. Continue se assentando aos pés de Jesus, orando, louvando e buscando com fervor. Continue a amar os desfavorecidos e a ser luz em meio às trevas enquanto proclama as boas-novas. E, ao fazer essas coisas, minha oração é que seu amor a Cristo cresça e prospere, explodindo em seu coração e tomando conta de toda sua vida. Jesus vale a pena. Ele vale *tudo*.

Essa jornada não será fácil. É uma luta constante e uma batalha contínua. Haverá dias em que você sentirá vontade de desistir e momentos em que se perguntará se tudo vale a pena. Você talvez até se pergunte se Deus de fato é bom e amoroso. Haverá momentos de dúvida e medo. É fácil se desanimar e se cansar. O inimigo tentará dizer que você não é bom o suficiente. Que não adianta. Que você já foi longe demais. Quem sabe ele até esteja sussurrando essas palavras em seu coração agora mesmo, dizendo que você não entendeu direito ou que esta mensagem não se aplica a sua vida e este livro não é para você.

Não dê ouvidos a essas mentiras. Todos somos falhos. Em Cristo, porém, somos redimidos. Todos erramos. Mas, por meio de Jesus, somos perdoados.

Sei que não é fácil, e é por isso que tenho orado por você. Peço a Deus que o fortaleça e lhe dê um amor por ele diferente de tudo que você já sentiu antes. Escrevi abaixo uma oração por você. Boa parte dela foi extraída das Escrituras. Ore-a para que se torne verdade em sua vida. Mas não pare por aí. Pegue a Bíblia e rogue que as mensagens das Escrituras se tornem realidade para sua vida. Creia nelas e permita que a verdade bíblica o transforme.

Querido Jesus,

Obrigado por me buscar incansavelmente. Obrigado porque nada pode me separar do teu amor. Fortalece-me, Senhor Deus, e capacita-me a te buscar intensamente. Eu escolho a ti, Jesus. Estou mergulhando de cabeça. Não olharei para trás, não duvidarei, nem desistirei. Permanecerei firme sobre a Rocha e edificado sobre a tua verdade.

Ajuda-me a ter forças diante da perseguição. Não importam as provas ou decisões difíceis que venham, ajuda-me a sempre me alegrar por ser considerado digno de sofrer por teu nome. Ajuda-me a ser sal e luz em um mundo quebrantado e escuro, e a caminhar com sabedoria, usando o tempo que me concedeste para o avanço do teu reino. Ajuda-me a te seguir, aconteça o que acontecer.

Eu empunho a espada do Espírito, que é a tua Palavra. Ensina-me a usá-la. Guia-me ao conhecimento da verdade. Dá-me amor apaixonado por tua Palavra. Veste-me com a armadura que me deste e ensina-me a lutar por meio do poder do teu Espírito Santo.

Quando eu me sentir tentado a desistir, traze-me de volta para o pé da cruz, onde tu não desististe, mas chegaste até a morte para me revelar teu amor extravagante. E, acima de tudo, concede-me mais de ti e ajuda-me a me apaixonar por ti. Ajuda-me a tomar minha cruz e te seguir, de maneira radical e de todo o coração. Ajuda-me a te amar de todo o coração, de toda a alma, com todas as forças e com toda a mente. Jesus, tu és meu tudo. Eu te amo. Amém.[1]

Uma nova geração se levanta

Hebreus 12.1-2 compara seguir a Jesus com participar de uma corrida. O texto nos incentiva para que "corramos com perseverança a corrida que foi posta diante de nós. Mantenhamos o olhar firme em Jesus, o líder e aperfeiçoador de nossa fé. Por causa da alegria que o esperava, ele suportou a cruz sem se importar com a vergonha. Agora ele está sentado no lugar de honra à direita do trono de Deus".

Minha oração é que aprendamos a correr "com perseverança" olhando somente para Jesus. Rogo que dependamos somente dele e de seu sangue derramado para nos dar forças e nos levar a cruzar a linha de chegada. E, no fim da vida, peço que sejamos capazes de dizer, assim como Paulo: "Lutei o bom combate, terminei a corrida e permaneci fiel" (2Tm 4.7).

Deus não desistiu de nossa geração. Pelo contrário, creio que ele tem mais reservado para nós do que imaginamos. Creio que o mesmo poder que ressuscitou Jesus Cristo dos mortos é capaz de ressuscitar os restos desta geração, que se encontra espiritualmente à beira da morte, e incendiar em nossa alma uma paixão radical por seu nome. Em uma cultura que anuncia que os adolescentes estão saindo da igreja, sei que Deus é capaz de mudar o paradigma e nos trazer de volta. Você consegue imaginar uma sociedade repleta de adolescentes com o coração inflamado por Jesus Cristo? Consegue imaginar igrejas repletas de adolescentes dedicados a Deus? Consegue imaginar comunidades transbordando de adolescentes comprometidos com seguir a Cristo e dar glória a seu reino nos anos que virão?

Eu consigo.

Essa é minha visão, e sou ousada o bastante para crer que Deus é capaz de fazer exatamente isso. Ele pode, fará e já fez no passado — e pode fazer de novo.

Por isso, entre para a revolução do amor. Vamos dar tudo de nós por Cristo. Com devoção radical e adoração apaixonada a nosso Salvador. Vamos sair e mostrar ao mundo o Deus que conhecemos. Vamos compartilhar o evangelho, servir o próximo e viver em adoração maravilhada a nosso Rei. Vamos viver como quem crê que Jesus Cristo de fato é Senhor. Que ele é tudo.

Porque ele realmente é, você sabe.

Há uma nova geração se levantando.

Alguns nos chamam de loucos e radicais. Outros podem se referir a nós como os malucos de Jesus. Somos a pulsação deste século. Às vezes, o mundo acha que estamos perdendo, mas sabemos que isso não é verdade. Fixamos nossos olhos no alvo e corremos com os olhos voltados para Jesus. Não desistiremos. Não voltaremos atrás. Somos dedicados, inteiramente comprometidos e apaixonados pelo Salvador de nossa alma.

Quem somos nós?

Somos seguidores apaixonados de Jesus Cristo.

APROFUNDE-SE

1. Qual *você* acha que é a mensagem que Jesus tem a dar para a juventude atual?
2. Por que, em sua opinião, Jesus disse ao escriba que amar a Deus de todo o coração, toda a alma, toda a mente e com todas as forças é o primeiro e maior mandamento? Como o amor a Deus transforma todas as outras áreas de sua vida?
3. Por que, em sua opinião, seguir Jesus é como participar de uma corrida? Quais são alguns passos práticos que você pode dar para se manter no rumo (por exemplo, leitura diária da Bíblia, oração etc.)?
4. Como este livro mudou sua perspectiva sobre Deus e uma vida de entrega completa a ele? O que lhe chamou a atenção?

5. O que você aprendeu com este livro e que aplicação prática pode começar a fazer hoje para continuar prosseguindo na jornada de entrega a Cristo de todo o coração?

Agradecimentos

Já fazia vários meses que eu estava no processo de escrever a primeira versão deste livro quando conversei com uma amiga ao telefone. Tinham sido meses difíceis, colocando para fora as palavras em meio ao medo e à ansiedade, me sentindo inadequada e me indagando por que Deus queria que *eu* escrevesse um livro. Depois de ouvir minhas dificuldades e me encorajar, minha amiga perguntou se poderia orar por mim naquele momento. Eu respondi que sim, claro, então ela começou a clamar a Deus em meu favor. Enquanto ela orava, uma das palavras que usou se sobressaiu e marcou meu coração: *colaboração*. Eu estava tentando escrever este livro sozinha. Sua oração me ajudou a perceber que não precisava ser assim. Além de contar com um exército de guerreiros de oração e colaboradores por trás de mim, eu também contava com o apoio do maior Autor de todos os tempos — o próprio Deus.

Embora a jornada não tenha sido fácil, ele me trouxe até a linha de chegada, com o auxílio de muitas mãos ajudadoras pelo caminho. Tenho visto sua graça e suas mãos em ação e sou grata por todas as pessoas que ele colocou em minha vida. Sem elas, eu não teria conseguido.

Mãe, não tenho palavras para descrever o quanto você é importante para mim! Aprendi mais com você do que com qualquer outra pessoa neste mundo e sou abençoada por você de diversas maneiras. Você se doa todos os dias para ajudar os outros e sou grata por todas as maneiras com que você me ajuda. Desde quando editou meus primeiros artigos (e não teve medo de marcá-los com a caneta vermelha!) e me levou a congressos até ao me ensinar sobre Jesus e orar por mim com tanta constância, você impactou minha vida e este livro de inúmeras formas. Sou mais que abençoada e me sinto honrada por poder chamá-la de mamãe. Eu a amo demais!

Amanda, você é a melhor irmã de todas. Sério mesmo. Eu a amo imensamente e sou abençoada por você o tempo inteiro. Obrigada por me animar ao longo da jornada e sempre estar ao meu lado, mesmo quando minha vida está um caos. Obrigada por ler todos os capítulos várias vezes, dar ideias e orar por mim. Você é minha Tolkien e eu sou Lewis — somos os Inklings, versão 2.0. E, além de tudo, é minha melhor amiga. Sou grata por sua vida e louvo a Deus pela bênção que você é!

Pai, obrigada por sempre me perguntar sobre meu processo de escrita, mesmo que, com certeza, você preferisse falar sobre ferramentas ou aviões. Obrigada por tudo que você faz. Eu não teria conseguido sem você. Eu te amo!

Vó, muito obrigada pelo apoio extraordinário a minha jornada de escrita e por todo o encorajamento. Fui muito abençoada por isso!

Minha gratidão profunda a Brett e Ana Harris. Brett, você impactou minha escrita mais do que imagina! Quando li *Do Hard Things*, soube que exerceria influência em minha vida, mas jamais sonhei que um dos autores do livro — você! — desempenharia um papel tão crucial em guiar minha escrita. Obrigada por ser um orientador maravilhoso e "irmão mais velho". Agradeço também por ter escrito o prefácio deste livro. Foi uma verdadeira honra.

AGRADECIMENTOS • 219

Ana, obrigada por dedicar tempo para ler o manuscrito e dar um *feedback* tão detalhado. Este livro sem dúvida é mais forte e cheio de graça por causa disso, e aprecio muito seu discernimento! Aprendi demais com vocês dois sobre escrever, mas também sobre fé, perseverança, integridade e, claro, fazer coisas difíceis.

Jaquelle Crowe Ferris, você foi a primeira profissional a me incentivar na escrita. Obrigada por me publicar no *site The Rebelution*, por aguentar os vários artigos que enviei em busca de aprovação e por me dar ânimo! Você jamais saberá o quanto seu encorajamento me fez prosseguir.

É estranho agradecer um *website*? Bem, vou agradecer assim mesmo! Obrigada *The Rebelution* e a incrível comunidade de "rebelucionários" que ali existe. Obrigada também à equipe maravilhosa com quem tenho o privilégio de trabalhar — Christopher, Katherine, Isabelle, Bella e todos os nossos autores e leitores. Vocês são os melhores!

Dan Balow e Steve Laube, não são muitos os escritores que têm o privilégio de trabalhar com dois agentes tão extraordinário... mas eu tenho! Dan, obrigada por dar uma chance a uma jovenzinha meio sem noção em um congresso para escritores e por permanecer a meu lado em meio a todas as rejeições. Steve, obrigada pelo incentivo e pelos conselhos. Estou empolgadíssima por termos a oportunidade de trabalhar juntos!

Rebekah Guzman, obrigada por ver potencial em meu livro. Você é uma resposta a orações e ainda me sinto chocada — e empolgada e abençoada — por ter a chance de trabalhar com você! É uma honra e um privilégio.

Obrigada, Nicci Jordan Hubert, por fazer um trabalho tão incrível de edição processual. Eu estava preocupada com o processo de edição, mas você fez tudo ser fácil e divertido!

Também tornou o livro mais coeso e forte... Eu não poderia ter pedido uma editora melhor!

Muito obrigada, Robin Turici, pelas edições incríveis, com precisão cirúrgica. Obrigada por não surtar quando eu lhe disse que queria cortar fora um capítulo inteiro e reestruturar uma parte significativa do livro já em um momento avançado do processo de edição. Trabalhar com você foi uma alegria!

A toda a equipe da editora Baker Books, mesmo sem saber o nome de cada um, tenho a certeza de que vocês são demais! Obrigada por ajudarem a dar vida a este livro. Sinto-me empolgadíssima por trabalhar com cada um de vocês!

Agradeço imensamente minha querida amiga Tabitha. Suas muitas orações me sustentaram e animaram mais do que você pode imaginar! Obrigada por todas as ligações de quatro horas de duração, centenas de mensagens e dezenas de cartas. Você é uma grande incentivadora e guerreira de oração! Mal posso esperar para ver o que Deus tem reservado para sua vida... Será extraordinário. Um abraço, minha amiga!

Anna e Don, obrigada por terem lido os primeiros capítulos e compartilhado suas opiniões. As reflexões feitas por vocês fortaleceram o livro. Anna, obrigada por todas as orações e por autorizar o compartilhamento de seu testemunho!

Preston e Olivia, muito obrigada! Preston, você leu a versão mais longa e sem edições e ainda disse que o fez lembrar do livro *Louco amor*. Seu bondoso encorajamento fez meu dia, quer dizer, minha semana, ou melhor, meu mês! Olivia, obrigada pelas muitas orações e por sua doce amizade.

Às formidáveis guerreiras de oração me dando suporte — "Vovó" Westheim, eu realmente sinto que suas orações ajudaram a "gerar" este livro. Betty, obrigada por todo o incentivo e pelas inúmeras orações. Vocês duas são inspiração para mim!

Obrigada, Schuyler e Carrie-Grace, por suas orações e sua terna amizade! Carrie-Grace, você recebeu um dos primeiros exemplares de teste. Psiu! Não conte para ninguém.

"Tia" Jocelyn, obrigada pelas mensagens animadoras e orações. Nem consigo expressar o quanto elas foram importante para mim! Também agradeço por me permitir contar a história de seu pai. Para mim, é uma honra tremenda, que recebo com forte senso de responsabilidade.

Agradeço de maneira muito especial a família Thomas, que me deu permissão para contar a história de Jeremiah. Minha oração é que ela seja instrumento nas mãos de Deus e é com grande humildade que faço uso da oportunidade de repartir sua coragem e paixão pelos outros.

Por fim, minha gratidão imensa a VOCÊ — a pessoa do outro lado da página. Se chegou até aqui, nos agradecimentos, você já é um amigo para a vida inteira. (Pontos extras se tiver lido os agradecimentos *antes* de ler o livro — eu sempre faço isso! É uma coisa de escritores...) Fico honradíssima ao imaginá--lo lendo estas palavras. É uma coisa louca, surreal mesmo, e seria impossível agradecer a Deus o bastante pela chance de compartilhar aquilo que ele me ensinou (e continua a me ensinar). Oro para que ele use este livro a fim de atrair você para mais perto dele. Por favor, nunca deixe de buscar Jesus!

E, por fim, mas o mais importante, obrigada, Jesus! Tu és minha esperança, meu amor, meu Senhor, meu Salvador, meu tudo. Fico impressionada diante de teu amor. Obrigada por morrer para me libertar, por me chamar para ser tua filha, por me fortalecer a cada dia e por me amar tanto! Eu sou um verdadeiro caos, mas tu colocaste uma mensagem em meu coração. Sou cheia de feridas, mas tu curaste tudo que estava despedaçado. Em meio a meus temores, ansiedades, confusões e dores, tu és fiel em me proporcionar paz, confiança, clareza e alegria. Toda honra e todo louvor sejam dados a ti! Sê glorificado, Senhor. Este livro é teu. Obrigada por me permitires escrevê-lo.

Notas

Prefácio

[1] Alex e Brett Harris, "A Challenge for My Generation", *The Rebelution* (blog), 8 de agosto de 2005, <https://www.therebelution.com/blog/2005/08/the-rebelution-a-challenge-for-my-generation/>.

[2] "How Old was David When _____?", Got Questions, acesso em 8 de outubro de 2019, <https://www.gotquestions.org/how-old-was-David.html>.

[3] "Who was Jeremiah in the Bible?", Got Questions, acesso em 8 de outubro de 2019, <https://www.gotquestions.org/life-Jeremiah.html>.

[4] "How Old were Jesus' Disciples?", Got Questions, acesso em 8 de outubro de 2019, <https://www.gotquestions.org/how-old-were-Jesus-disciples.html>.

Introdução

[1] Elisabeth Elliot, *Through Gates of Splendor* (New York: Harper & Brothers, 1957), p. 50-51. [No Brasil, *Através dos portais do esplendor*. São Paulo: Vida Nova, 2010.]

Capítulo 1

[1] "Six Reasons Young Christians Leave Church", Barna, 27 de setembro de 2011, <https://www.barna.com/research/six-reasons-young-christians-leave-church/>.

[2] Francis Chan, *Louco amor* (São Paulo: Mundo Cristão, 2009), p. 167.

[3] C. S. Lewis, *Mere Christianity*, ed. rev. (New York: HarperOne, 2015), p. 51. [No Brasil, *Cristianismo puro e simples*. Rio de Janeiro: Thomas Nelson Brasil, 2017.]

224 • PAIXÃO RADICAL

Capítulo 2

[1] Lewis, *Mere Christianity*, p. 169.

[2] Para ler mais sobre quem Deus é, por que ele é digno de nosso tudo e como edificar sua fé, confira: *A fé na era do ceticismo*, de Timothy Keller, *Louco amor*, de Francis Chan, e *Cristianismo puro e simples*, de C. S. Lewis.

Capítulo 3

[1] Strong's Concordance 1097, *Biblehub.com*, acesso em 4 de abril de 2019, <https://biblehub.com/greek/1097.htm>.

[2] Dean Inserra, "To Reach Unsaved Christians, First Help Them Get Lost", *Christianity Today*, 5 de março de 2019, <https://www.christianity today.com/pastors/2019/february-web-exclusives/to-reach-unsaved-christians-first-help-them-get-lost.html>.

[3] David Platt, *Follow Me* (Wheaton, IL: Tyndale, 2013), p. 54. [No Brasil, *Siga-me*. Rio de Janeiro: Thomas Nelson Brasil, 2013.]

[4] A. W. Tozer, *The Pursuit of God* (Camp Hill, PA: WingSpread, 2007), p. 26-27. [No Brasil, *Em busca de Deus*. São Paulo: Vida, 2017.]

Capítulo 4

[1] Lewis, *Mere Christianity*, p. 205.

[2] Billy Graham, "Billy Graham Daily Devotion: A Daily Process", *Billy Graham Evangelical Association*, 2 de outubro de 2018, <https://billygraham.org/devotion/a-daily-process/>.

[3] George Müller, *Autobiography of George Müller* (New Kensington, PA: Whitaker, 1996), p. 14-15.

[4] Idem, p. 16.

[5] Conforme citado em Roger Steer, *George Müller: Delighted in God* (Fearn, Tain, Rosshire, Scotland: Christian Focus, 2015), p. 177.

Capítulo 5

[1] DC Talk, *Jesus Freaks: Revolutionaries: Stories of Revolutionaries Who Changed Their World: Fearing God, Not Man* (Bloomington: Bethany House, 2002), p. 4-5.

[2] Stacey Philpot, "The Boy Who Stood at the Flagpole Alone", *Her View from Home* (blog), acesso em 21 de outubro de 2019, <https://herviewfromhome.com/the-boy-who-stood-at-the-flag-pole-alone/>.

Capítulo 6

[1] Jim Elliot, citado em Elisabeth Elliot, *Shadow of the Almighty: The Life and Testament of Jim Elliot* (New York: HarperCollins, 1979), p. 247.

[2] Idem, p. 249.

[3] Idem, p. 241.

[4] Idem, p. 245.

[5] Idem, p. 245.

[6] Idem, p. 9-10.

[7] Idem, p. 247.

[8] Luke LeFevre, "What Are You Willing to Give Up?", *All or Nothing* (blog), 4 de abril de 2016, <http://allornothingblog.com/blog/2016/4/2/what-are-you-willing-to-give-up?rq=i%20want%20more%20of%20you>.

Capítulo 7

[1] C. S. Lewis, *Cartas de um diabo a seu aprendiz* (Rio de Janeiro: Thomas Nelson Brasil, 2017), p. 19-20.

[2] Samuel Chadwick, Goodreads, acesso em 11 de dezembro de 2018, <https://www.goodreads.com/quotes/323811-satan-dreads-nothing-but-prayer-his-one-concern-is-to>.

Capítulo 8

[1] Essa ideia costuma ser atribuída a Martinho Lutero, muito embora sua origem exata seja desconhecida.

Capítulo 9

[1] Chan, *Louco amor*, p. 139.

[2] J. C. Ryle, *Thoughts for Young Men: Updated Edition with Study Guide* (Cedar Lake, IN: Waymark Books, 2018), p. 50. [No Brasil, *Uma palavra aos moços*. São José dos Campos, SP: Fiel, 2018.]

226 • PAIXÃO RADICAL

[3] Confira mais informações sobre perseguição e onde a Bíblia é ilegal em: <https://www.christiantoday.com/article/6-countries-where-owning-a-bible-is-dangerous/84497.htm>, <https://www.persecution.com/bibles/> e <https://www.christianitytoday.com/news/2018/january/top-50-christian-persecution-open-doors-world-watch-list.html>.

Capítulo 10

[1] Jeremiah Thomas, "Jeremiah's Letter to His Generation", *Operation Save America*, 24 de junho de 2018, <http://www.operationsaveamerica.org/2018/06/24/jeremiahs-letter-to-his-generation/>.

[2] Idem.

[3] Idem.

[4] Idem.

[5] Jeremiah Thomas, conforme citado em Katelyn Brown, "Jeremiah Thomas, Age 16: His Dying Wish to End Abortion", *The Rebelution* (blog), 4 de julho de 2018, <https://www.therebelution.com/blog/2018/07/jeremiah-thomas-age-16-his-dying-wish-to-end-abortion/>.

[6] Ryle, *Thoughts for Young Men*, p. 10.

[7] John Koblin, "How Much Do We Love TV? Let Us Count the Ways", *New York Times*, 3 de julho de 2016, <https://www.nytimes.com/2016/07/01/business/media/nielsen-survey-media-viewing.html>.

[8] Elliot, *Shadow of the Almighty*, p. 52.

[9] Jaquelle Crowe Ferris, *This Changes Everything: How the Gospel Transforms the Teen Years* (Wheaton: Crossway, 2017), p. 121.

[10] Saiba mais sobre a história de Jeremiah em <https://www.jeremiahstrong.com/>.

Capítulo 11

[1] Burger King, Coca-Cola, Sprite e L'Oreal, caso tenha ficado curioso.

[2] Timothy Keller, *The Reason for God* (New York: Penguin, 2009), p. 221. [No Brasil, *A fé na era do ceticismo*. São Paulo: Vida Nova, 2017.]

Capítulo 12

[1] John Stonestreet e Brett Kunkle, *A Practical Guide to Culture* (Colorado Springs: David C Cook, 2017), p. 261, 262.

² Elizabeth Chuck, "Is Social Media Contributing to Rising Teen Suicide Rate?", *NBC News*, 22 de outubro de 2017, <https://www.nbcnews.com/news/us-news/social-media-contributing-rising-teen-suicide-rate-n812426>.

³ Jean M. Twenge, "Have Smartphones Destroyed a Generation?", *Atlantic*, setembro de 2017, <https://www.theatlantic.com/magazine/archive/2017/09/has-the-smartphone-destroyed-a-generation/534198/>.

⁴ Beata Mostafavi, "Does Netflix's '13 Reasons Why' Influence Teen Suicide? Survey Asks At-Risk Youths", M Health Lab, 20 de novembro de 2018, <https://labblog.uofmhealth.org/rounds/does-netflixs-13-reasons-why-influence-teen-suicide-survey-asks-at-risk-youths>.

⁵ "Sex Trafficking", Polaris, acesso em 12 de abril de 2019, <https://polarisproject.org/human-trafficking/sex-trafficking>; Tim Swarens, "How Many People are Victims of Sex Trafficking?", *Indy Star*, 11 de janeiro de 2018, <https://www.indystar.com/story/opinion/2018/01/11/human-trafficking-statistics-how-many-people-victims/1013877001/>.

⁶ Christopher Witmer, "Counterintuitive Advice for Guys about Lust", *The Rebelution* (blog), 26 de janeiro de 2018, <https://www.therebelution.com/blog/2018/01/counterintuitive-advice-for-guys-about-lust/>.

Capítulo 13

¹ Essa declaração é amplamente atribuída a São Francisco de Assis, mas nunca foi confirmada. Há diversas variantes de fontes diferentes, mas não fica claro quem de fato disse primeiro.

² Conforme citado em Bobby Conway *The Fifth Gospel: Matthew, Mark, Luke, John... You* (Eugene, OR: Harvest House, 2014), p. 9.

³ Jaquelle Crowe Ferris, "Gen Z, Let's Prioritize the Gospel as We Pursue Justice", *The Gospel Coalition*, 7 de maio de 2018, <https://www.thegospelcoalition.org/article/generation-z-social-justice-prioritize-gospel/>.

228 • PAIXÃO RADICAL

[4] DC Talk e The Voice of the Martyrs, *Jesus Freaks: Stories of Those Who Stood for Jesus: The Ultimate Jesus Freaks* (Tulsa: Albury Publishing, 1999), p. 295-296.

[5] Billy Graham, conforme compilado por Debbie McDaniel, "40 Courageous Quotes from Evangelist Billy Graham", *Crosswalk*, acesso em 27 de setembro de 2019, <https://www.crosswalk.com/faith/spiritual-life/inspiring-quotes/40-courageous-quotes-from-evangelist-billy-graham.html>.

Capítulo 14

[1] "How to Be a Great Christian Teenager", *WikiHow*, última modificação em 31 de julho de 2019, <https://www.wikihow.com/Be-a-Great-Christian-Teenager>.

[2] Conforme citado em "William Borden: A Life Without Regret", *Outreach Magazine*, 8 de julho de 2018, <https://outreachmagazine.com/features/discipleship/31313-william-borden-life-without-regret-html>.

[3] Conforme citado em Kyle Idleman, *Not a Fan* (Grand Rapids: Zondervan, 2011), p. 208.

[4] Conforme citado em Jayson Casper, "The Forgotten Final Resting Place of William Borden", *Christianity Today*, 24 de fevereiro de 2017, <https://www.christianitytoday.com/history/2017/february/forgotten-final-resting-place-of-william-borden.html>.

[5] Leia a história completa em Mateus 19.16-22, Marcos 10.17-22 e Lucas 18.18-23.

[6] Ellicott's Commentary for English Readers, *Biblehub.com*, acesso em 17 de dezembro de 2018, <https://biblehub.com/commentaries/ellicott/luke/9.htm>.

[7] Conforme citado em DC Talk e The Voice of the Martyrs, *Jesus Freaks* (1999), p. 31.

[8] Idem, p. 35.

[9] Idem, p. 85.

[10] "Laos: Mee", Kids of Courage: *The Voice of the Martyrs*, 6 de novembro de 2018, número 5.

[11] *Voice of the Martyrs*, p. 6.

[12] DC Talk, *Jesus Freaks*, 1999, p. 108.

[13] Corrie ten Boom, *The Hiding Place*, ed. comemorativa 35 anos (Bloomington, MN: Chosen Books, 2006), p. 152. [No Brasil, *O refúgio secreto*. Curitiba: Pão Diário, 2021.]

[14] Idem, p. 227.

[15] Idem, p. 234.

[16] Idem, p. 207.

[17] Idem, p. 216.

Conclusão

[1] As referências correspondem a Romanos 8.38-39, Mateus 7.24, Atos 5.41, Mateus 5.13, 1Timóteo 2.4, Efésios 6.10-18, Marcos 8.34 e Mateus 22.37.

Compartilhe suas impressões de leitura,
mencionando o título da obra, pelo e-mail
opiniao-do-leitor@mundocristao.com.br
ou por nossas redes sociais

Esta obra foi composta com tipografia Palatino e Europa
e impressa em papel Pólen Soft 70 g/m² na gráfica Assahi